Renewals

THE LONDON BOROUGH

Please return this ite
it was borrowed.

m which

WWW

Renewals
Any item may be rer
required by another

Overdue Charges
Please see library notices for the current rate of charges levied on overdue
items. Please note that the overdue charges are made on junior books borrowed
on adult tickets.

Postage
Postage on overdue notices is payable.

10/05		
–2 FEB 2007		
–5 MAY 2007		
20 NOV 2007		
–9 AUG 2008		
Code 10 S		
22 Sep 2010		
13 Oct 2010		

92.0

Urs Widmer

Der Geliebte der Mutter

Roman

Diogenes

Die Erstausgabe
erschien 2000 im Diogenes Verlag
Umschlagillustration:
Anna Keel, ›Magnolienblüte im Glas‹,
1989

Der Autor
dankt der Stiftung Pro Helvetia
für ihre Unterstützung

Für Nora

Veröffentlicht als Diogenes Taschenbuch, 2003
Alle Rechte vorbehalten
Copyright © 2000
Diogenes Verlag AG Zürich
www.diogenes.ch
100/04/8/2
ISBN 3 257 23347 7

HEUTE ist der Geliebte meiner Mutter gestorben. Er war steinalt, kerngesund noch im Tod. Er sank um, während er, sich über ein Stehpult beugend, eine Seite der Partitur der Sinfonie in g-Moll von Mozart umblätterte. Als man ihn fand, hielt er einen Notenfetzen in der toten Hand, jene Hornstöße zu Beginn des langsamen Satzes. Er hatte meiner Mutter einmal gesagt, die g-Moll-Sinfonie sei das schönste Stück Musik, das jemals komponiert worden sei. – Er las seit immer Partituren, so wie andere Bücher lesen. Alles, was ihm in die Hände fiel, Archaisches und Oberflächliches. Vor allem aber sah er sich nach Neuem um. Erst im Alter, so gegen neunzig, holte ihn das Bedürfnis ein, nochmals das schon Vertraute zu erfahren, anders nun, in der Beleuchtung der schwindenden Lebenssonne. Nun las er den Don Giovanni wieder, den er einst als Jüngling mit brennenden Augen verschlungen hatte, und die Schöpfung. – Er war Musiker gewesen, Dirigent. Drei Tage vor seinem Tod hatte er in der Stadthalle sein letztes Konzert dirigiert. György Ligeti, Bartók, Conrad Beck. – Die Mutter liebte ihn ihr ganzes Leben lang. Unbemerkt von ihm, unbemerkt von jedermann. Niemand wußte von ihrer Passion, kein Wort sagte sie jemals davon. »Edwin!« flüsterte sie allerdings, wenn sie am See stand, allein, mit ihrem Kind an der Hand. Von Enten umschnattert, im Schatten selber, schaute sie auf das in der Sonne leuchtende Ufer gegenüber. »Edwin.« Der Dirigent hieß Edwin.

ER war ein guter Dirigent. Und er war, als er starb, der reichste Bürger des Landes. Er besaß die kostbarste Partiturensammlung weit und breit; die Partiturseite, die er im Tod zerfetzte, war das Original gewesen. Ihm gehörte die Aktienmehrheit eines Firmenkonglomerats, das – in der Hauptsache – Maschinen herstellte und immer noch herstellt. Lokomotiven, Schiffe, aber auch Webstühle und Turbinen und neuestens sogar Hochpräzisionsinstrumente für die Laserchirurgie. Künstliche Gelenke, auch jene Minikameras, die man durch die Blutbahnen bis zum Herz schicken kann und die alles, was sie auf ihrer Reise vorfinden, auf einen Bildschirm nach draußen senden. Der Hauptsitz der Firma war und ist auf jener minderen Seeseite, die immer im Schatten liegt. Während Edwin auf der Sonnenseite wohnte, über dem See, in einer Besitzung mit dreißig oder auch fünfzig Zimmern, mit Gestüten, mit Hundezwingern, mit Gäste- und Gesindehäusern in einem Park, in dem chinesische Zirbelkiefern und Sequoiabäume wuchsen, himmelhohe Trumme, in deren Schatten er wandelte und das nächste Konzert memorierte. Royal Albert Hall zum Beispiel, oder Glyndebourne. Er forderte für seine Konzerte stolze Gagen, aber nicht, weil er auf Geld aus war, auf noch mehr Geld, sondern, weil er sich an Bruno Walter und Otto Klemperer maß. Er wollte eine gleich hohe Gage, und er kriegte sie.

EINST, als junger Mann, war er mausarm gewesen. Wohnte in einem möblierten Zimmer im Industriequartier, vor Ehrgeiz und noch nicht erweckter Begabung rasend. Er tigerte mit Blitzen im Hirn im Zimmer auf und ab, stieß gegen Waschschüsseln und Stühle, ohne es zu bemerken, jagte der wilden Musik in seinem Schädel nach, die sich nicht erhaschen ließ. Manchmal übergoß er sich mit eiskaltem Wasser. Er hatte Notenpapier in allen Taschen und schrieb auf seinen Spaziergängen, die gehetzten Gewaltmärschen glichen, Melodienfetzen auf, obwohl er kaum Noten schreiben konnte. Sein Klavierspiel war noch dürftiger. Aber er lebte in der Musik, für die Musik. Zu den Abonnementskonzerten von damals – Preise zum Fürchten, auch in jenen Zeiten schon – ging er in den Pausen, wenn keine Türkontrollen mehr stattfanden und die müdesten Melomanen nach Hause gegangen waren. Auf deren Plätzen saß er nun, hielt die vernichtenden Blicke der Sitznachbarn aus. So hörte er wenigstens alle zweiten Teile der Konzerte, sowieso war es immer Brahms, Beethoven, Bruckner. Weil er kein Abitur hatte, war ihm das Konservatorium verschlossen. Er ließ sich also privat von einem lokalen Komponisten ausbilden, der, als Edwin ihm seine Bedürftigkeit dargelegt hatte, auf jedes Honorar verzichtete. Allerdings arbeitete er unregelmäßig – er trank, um die Wahrheit zu sagen – und war ein radikaler Anhänger von Richard Wagner und Richard Strauss. Von allen Richarden eigentlich, auch François Richard mochte er mehr, als der das verdiente. Dessen »Ruisseau Qui Cours Après Toy-Mesme« sang er in fast jeder Unterrichtsstunde, sich selber mit kraftvollen Oktavgriffen am Klavier begleitend, obwohl das Original eine zarte Lautenstimme erfordert. – Edwin hätte es später, viel später, auf einer Auktion kaufen können, für ein Butterbrot. Erst bot er zögernd mit, dann überließ er es einem dicken Herrn, der heftig schwitzte und die J.-Paul-Getty-Foundation for Ancient Music vertrat. – Er schuf das Werk Gesualdos nochmals, bebte über den Wundern Mozarts, hielt die Längen Schuberts aus, und bald einmal schrieb er ein erstes eigenes Werk, eine zweisätzige Sinfonie, die der lokale Komponist kopfschüttelnd las. Als sich das erste Kompositionsfeuer gelegt hatte, lernte er Klavier spielen. (Darin war der lokale Komponist sehr kundig.) Aber er konnte nicht üben – wie denn, er hatte ja kein Klavier –, oder nur, wenn der Komponist sich betrunken hatte und im Nebenzimmer schlief. So blieb er einer, dem auch langsame Sätze zu schnell waren. Verzweifelnd schon zeigte ihm der lokale Komponist eines Tags, wie man dirigiert. Wie man einen richtigen Auftakt schlägt oder ein Ritardando bewirkt, all dies. Er kannte alle Schlagarten. Auch wenn er betrunken war oder gerade dann schlug er ohne die geringsten Probleme mit der linken Hand einen Sechsneunteltakt und mit der rechten einen Fünfachtel. Edwin merkte zu seiner und auch seines Lehrers Verblüffung, daß er das auch konnte, auf Anhieb beinah. Er wußte sofort, daß das Dirigieren seine Bestimmung war. Er arbeitete sich – der lokale Komponist saß am Klavier und ersetzte ihm das Orchester – durch die Werke Johann Sebastian Bachs, Haydns und Mendelssohns hindurch, später sogar durch den ganzen Debussy. Seine Interpretation von Pelléas et Mélisande geriet ihm so intensiv, daß er, als er es dann einmal mit einem wirklichen Orchester spielte, todtraurig wurde, weil sie längst nicht so großartig wie die imaginierte klang. An einem hellen Sommermorgen sagte ihm sein Lehrmeister, er habe bei ihm –

bei ihm! – nichts mehr zu lernen. Er umarmte ihn. Edwin ging. Er drehte sich nicht mehr um und sah nicht, daß der lokale Komponist am Fenster stand, die eine Hand zum Winken erhoben, in der andern eine Flasche. – Er pfiff vor sich hin. Er konnte zwar noch immer nicht komponieren, und sein Klavierspiel war jämmerlich geblieben; aber wenn er eine Partitur las, *hörte* er, und aufs Dirigieren verstand er sich jetzt auch. – Seinen Lebensunterhalt – die Studien hatten ihn ja nichts gekostet – hatte er verdient, indem er im Akkord Fensterläden anstrich, in einem Gartenlokal kellnerte und im Hauptpostamt Briefe sortierte.

EDWIN arm, meine Mutter jedoch reich: so war es zu Beginn gewesen. Erst später wurde es umgekehrt. Nun schwamm Edwin im Geld, und die Mutter, brüchiges Gestein geworden, sprach immer häufiger von der Sorge, im Armenhaus zu enden. – Die junge Mutter, eine leuchtende Schönheit, war wie im Traum dahergeweht gekommen. Lange Beine mit Stöckelschuhen, ernst, mit schwarzen Augen, vollen Lippen, einem Pelz um die Schultern, einem Hut, der so groß wie ein Wagenrad war und unter dem eine gekraute Mähne hervorquoll. Federn. Neben ihr sprang ein Windspiel. – Im Abonnementskonzert saß sie neben ihrem Vater, an Mutters Statt – diese war gestorben, als meine Mutter ein Backfisch war –, überwältigend jung zwischen all den greisen Abonnenten, die dasaßen wie Tote. Auch ihr Vater sah dann nicht sehr lebendig aus, und jedes Mal, kaum hatte das Konzert begonnen, hatte die Mutter das Bedürfnis, laut zu schreien. Die Toten zu wecken. – Ihr Vater glich dem alten Verdi, einem Verdi mit dicken Lippen, liebte tatsächlich auch die Traviata über alles und war Vizedirektor just jener Maschinenfabrik, die Edwin später – so viel später nun auch wieder nicht! – anheimfallen sollte. Der hätte damals nie gewagt, meine Mutter anzusprechen. Sie, hätte er es doch getan, hätte durch ihn hindurchgeschaut und ihn noch während des Schauens vergessen. Damals. – Sie hatte ihn zuweilen beobachtet, von ihrem Balkon herab, wie er nach der Konzertpause im Parkett nach einem freien Platz suchte, ein schäbig gekleideter junger Mann, ratlos *und* zielstrebig. Sie dachte sich nichts weiter dabei.

Einmal spielte sie, fünf oder sechs Jahre alt, im Korridor mit ihren Puppen – sie gab ihnen Unterricht im Sich-anständig-Benehmen –, und die Tür des Arbeitszimmers tat sich auf, und der Vater stand in ihr, mit funkelnden Augen, die Lippen zu einem Strich verdünnt, mit einem Bart wie eine Schaufel. Mit diesem Bart wies er ins Innere des Raums. Die kleine Mutter ging zitternd hinein, stand auf einem Teppich, in dem ihre nackten Füße versanken, vor dem ehernen Schreibtisch, hinter dem ihr Vater, das Fenster verdunkelnd, in die Höhe wuchs. Dunkle Bücher überall, dumpfe Lampen mit Glasperlentroddeln, griechische Marmorköpfe von Zeus oder Apoll, Reagenzgläser, ein Terrarium, in dem Skorpione und Kreuzspinnen krochen. Der Vater stand und schwieg, sah sie an, sah und sah, sagte endlich, ohne den Mund zu öffnen: »Niemand will dich! Keiner! Das ist wegen deiner Art!« Jäh brüllte er. »In

dein Zimmer!« brüllte er. »Daß ich dich nicht mehr sehe!«
– Er und seine Frau hatten nach Mailand fahren wollen.
Gutes Hotel, gutes Essen, schöne Weine, vielleicht die Traviata in der Scala, oder wenigstens die Tosca. Aber niemand
hatte die kleine Mutter für ein paar Tage nehmen wollen,
keine der Tanten, Kusinen, Patinnen, Freundinnen. »Die?
Nie!« Nicht einmal Alma, mit der ein jeder nur im äußersten Notfall sprach, war bereit gewesen, sie zu hüten.
Wegen ihrer Art. Die Eltern blieben zu Hause. – Die Mutter ging in ihr Zimmer. Stand tränenlos am Fenster und
fragte sich, was ihre Art war. Daß sogar ihr Vater und ihre
Mutter sie nicht wollten. – Auch später hatte sie nie Tränen.
Ihre Augen waren so trocken, daß sie schmerzten.

ODER sie mochte, sechs und auch acht Jahre alt, ihr Essen
nicht aufessen. Spinat, Blumenkohl, irgend so ein gesunder
Schmierpapp. Joghurt!, vom Dienstmädchen zubereitet,
manchmal eigenhändig von der Mama. Dann verlangte der
Vater, daß sie alles fertigaß, bis auf den letzten Bissen. Und
wenn es drei Tage dauerte, ein Jahr. Oft saß sie allein in
ihrem Zimmer, ihr Joghurt vor sich, mit starren Magenwänden. Keinen Bissen kriegte sie in sich hinein. Der Vater,
beim nächsten Essen, würdigte sie keines Blickes, aß mit
steinernem Genuß sein Steak. Vor ihr stand immer noch
das halb gegessene Joghurt. Schimmel war nicht giftig für
Kinder. – Nur einmal, ein einziges Mal hatte sie versucht,
das Joghurt hinterrücks in die Blumenvase zu tun. Der
Vater, allwissend, griff hinein, zeigte seinen joghurtverschmierten Zeigefinger, wischte ihn wortlos an der Ser-

viette ab. Und schon war das nächste Joghurt da. – Sie ging in den Kindergarten, dann in die Schule: Und wenn sie nicht eine Viertelstunde nach Schulschluß zurück war, verschloß der Vater die Tür. Da stand sie dann, klingelte und rief, bis der Vater das Türfensterchen öffnete, ein vergittertes Viereck, hinter dem er wie ein Gefängniswärter aussah, der aus irgendeinem Grund im Gefängnis drin war, während die Gefangene draußen um Einlaß bettelte. Er sagte ruhig, klar, daß sie zu spät sei, da müsse sie nun halt warten, bis das Tor wieder aufgehe, irgendwann dann, jetzt jedenfalls gewiß nicht. Das habe sie ihrer Art zu verdanken. – Einmal war die Zeit gerade erreicht – nein, sie *war* zu spät, gewiß um eine Minute –, und der Vater verriegelte die Tür, obwohl sie schon durch den Vorgarten gelaufen kam. Zu spät war zu spät. So saß sie dann auf der Stufe vor der Tür und sah einem Eichhörnchen zu, das auf der Pinie von Ast zu Ast sprang. Ihre Art, ihre Art, was war ihre Art?

VIELLEICHT war ihre Art, daß sie oft starr in einer Zimmerecke stand, mit Augen, die nach innen sahen, geballten Fäusten, einer glühenden Hitze im Hirn. Sie atmete kaum mehr dann, stöhnte zuweilen auf. In ihr drin kochte alles, nach außen hin war sie tote Haut. Taub, blind. Man hätte sie wie ein Stück Holz wegtragen können, wie einen Sarg, sie hätte es nicht bemerkt. Sie allerdings, hätte man sie in ihrer Fieberstarre überrascht, wäre vor Scham gestorben. Vor Schreck, vor Schuld. Darum horchte sie auf das geringste Geräusch im Haus, ob irgendwo eine Tür ging, auf Schritte im Korridor, auf jedes Knistern und Knacken.

Aber nie entdeckte jemand ihr Geheimnis, da war sie sich sicher. – (Dabei starrte sie mehr als einmal durch ihre Eltern hindurch, die sie nicht aufzuwecken wagten.) – In ihr drin war dann eine Welt voller Glanz und Licht, mit Wäldern, Getreidefeldern, mit Wegen, die dahin führten, dorthin. Schmetterlinge, Leuchtkäfer. Ferne Reiter. Sie ging auch selber in sich, sah sich, wie sie hüpfte, das Rad schlug, juchzte. Sie trug entzückende Kleidchen, Bänder, weiße Schuhe, einen Strohhut voller Kornblumen. Alle liebten sie, ja, sie war der Liebling aller. Sie war nicht die Königin, oder nur selten, nein, sie war bescheiden wie niemand sonst, teilte all ihre Habe mit den Ärmsten der Armen. Sie behielt nur, was sie wirklich brauchte. Das Pony natürlich, das Himmelbett. Oft weinte sie mit den andern – in *jener* Welt hatte sie Tränen –, weil es denen so schlecht ging. Tröstete sie, sie hatte eine große Tröstkraft. Alle kamen immer zu ihr, es war ein richtiges Gedränge um sie herum. Flehend ausgestreckte Arme, ihr Name wurde gerufen. Allerdings konnte sie sich auch freizaubern, dann war sie ganz allein, ging auf dem Wasser, konnte gar fliegen. Sie war dann nahe an den Sternen, rief ihnen zu, bekam ihr Lachen zur Antwort. Gott, mit Gott ging sie nicht um; aber manchmal kam der kleine Jesus des Wegs, bat sie um Rat wegen der Zukunft der Welt. So mußte sie zuweilen auch eine strenge Richterin sein. Stand dann auf einer Empore über einem kirchenähnlichen Saal, der voller schwarzer Männer war, die Böses getan oder geplant hatten. Ja, da mußte sie sie dann schon im Öl sieden, es war dann nicht zu vermeiden, ihnen die Köpfe abzuhacken, sie vom Turm zu stürzen. Ihr Flehen half dann nichts, dieses Auf-den-

Knien-Herumrutschen und Händeringen, um ihre Vergebung zu erlangen. Sie blieb gerecht, zeigte mit dem Daumen nach unten. – Irgend etwas weckte sie dann auf, ein Hund etwa, der auf der Straße bellte, oder das Knarren einer Diele (die davonschleichenden Eltern). Dann fuhr sie hoch, sah sich verstört um, sammelte ihre sieben Sinne. – Beim Abendessen dann die großen Augen der Mama. Was war los? Wieso schaute sie der Vater so an?

DIESER hatte auch nicht immer mit antiken Götterköpfen und Perserteppichen gelebt. Im Gegenteil, er war in einem möbellosen Steinhaufenhaus in der Nähe von Domodossola zur Welt gekommen, ein arvenholzfarbener Säugling, der schon bei seiner Geburt Haare wie Stahlwolle hatte, und jene Lippen. Er war das letzte von zwölf Kindern – auch sie alle kraushaarig, dicklippig – und wurde Ultimo getauft. Ein Flehen seiner Eltern zu Gott, es endlich genug sein zu lassen. (Von den zwölf Kindern wurden gerade fünf erwachsen.) Er ging ohne Schuhe, suchte Kastanien in den Wäldern, fütterte die Kaninchen mit Gras. Das Haus, unter einen Felsen geduckt, bestand aus *einem* Raum, einem tiefen Gewölbe ohne Fenster, in dem im Winter ein Feuer unter einem schlundgroßen Kamin loderte, das die Luft dennoch kaum erwärmte. Im Sommer dafür war das Gewölbe kühl, auch wenn draußen die Sonne glühte. Die Söhne, sieben Söhne, halfen alle dem Vater. Nur Ultimo durfte nicht mittun, der Vater brauchte keinen achten Knecht; keinen so kleinen jedenfalls. Ultimo mußte zu Hause bleiben. Er wußte nicht *genau*, was der Vater und die Brüder taten, ihre Abenteuer hatten irgendwie mit Maultieren zu tun, mit Schlitten und Fuhrwerken. Er dachte, sie seien so etwas wie gute Räuber, fielen jenseits der Berge über die Schlösser böser Herren her und verteilten das Geraubte an die Armen. Oh, das hätte er auch gern getan, um fünf Uhr früh aufstehen, nach Sonnenuntergang zurückkehren, erschöpft, verschwitzt, zerschunden zuweilen, von Abenteuern erzählend, in denen Lawinen auf sie niederdonnerten, Felsschläge. Die Maultiere brannten durch und jagten schreiend bergauf, die Schlitten hinter sich herschleudernd, von denen sich Fässer losrissen und zu Tal donnerten, platzend im Sturz, den Schnee blutrot färbend. Der Vater saß am Tisch und sah strahlend zu, wie die Mutter den tollen Brüdern die Polenta in die Teller kratzte. Er wischte sich die Tränen aus den Augen, so sehr lachte er. Ultimo in seiner dunklen Ecke, er hatte schon gegessen. – Der Vater war ein Säumer. Er transportierte im Auftrag von Winzern aus dem Piemont Weinfässer über den Simplon, zwischen Domodossola und Brig. Im Winter auf Schlitten, im Sommer mit Fuhrwerken. Die Söhne halfen ihm, sieben Söhne in den besten Jahren; bald einmal nur noch drei. Die andern waren gestorben, Typhus, Kinderlähmung, eine Blutvergiftung. Aber Ultimo durfte keinen ersetzen, nie. Vielleicht, als der Vater alt geworden war und kaum noch seinen Ältesten dazu überreden konnte, ihn auf dem Weg über den Paß zu begleiten, ihn und die Gespanne, da hätte er vielleicht gedurft. Aber da war er längst woanders, Ultimo, in einem andern Land, mit andern Freunden, mit neuem Geld.

ZUM Glück war er ein guter Schüler, Ultimo. Der Dorf-
lehrer merkte das, irgendein Geistlicher mischte sich ein,
der Pfarrer des Kirchsprengels von Villa di Domodossola,
und jäh fand sich der begabte Ultimo jenseits des Passes
wieder, auf der andern Seite der Berge. Er wurde Zögling
des Jesuiteninternats von Brig. Zwar bescherte ihm diese
heiligmäßige Schule eine lebenslange Abscheu vor allem
Religiösen – er ging später nie mehr zur Messe, ließ seine
Tochter nicht taufen –, aber er lernte vieles. Ein singendes
Deutsch und lateinische Gebete, aber auch addieren, sub-
trahieren, genau zeichnen, ordnen, mischen und trennen,
Käfer sezieren, Kuben so in Kegel verwandeln, daß ihr
Inhalt der gleiche blieb. Er machte ein glanzvolles Abitur.
Die Schlußfeier fand im Dom statt. Ein paar hundert
gerührte Bürger. Ein Bischof oder sonst ein Kirchenoberer
betete und verteilte die Zeugnisse und betete wieder, strich
Ultimo, als er ihm sein Zeugnis gab, sogar über die Haare.
Das war das letzte Mal, daß Ultimo eine Kirche von innen
sah. Später, als er mit seiner Frau Bildungsreisen unternahm – Chartres, Autun, Vézelay –, wartete er immer
draußen vor dem Kirchenportal, während sie staunend
durch Krypten und Kreuzgänge ging. – Er besuchte das
Polytechnikum des Landes (bekam ein Stipendium, obwohl er Ausländer war), wurde Maschineningenieur und
trat, gerade vierundzwanzig Jahre alt, in jene Fabrik am
Schattenufer des Sees ein, die damals eine kleine Klitsche
war. Ein paar Schuppen, in denen großkalibrige Schrauben
hergestellt wurden, rechts- und linksdrehende Gewinde,
Metallspindeln, Federungen und Bremsklötze. Ultimo saß
in einem Büro, einem Holzverschlag, und bearbeitete die

spärlichen Aufträge. Er heiratete und kriegte eine Tochter, meine kleine Mutter. Dann kam der Erste Weltkrieg. Die Kriegführenden hüben und drüben brauchten so viele Maschinen (schossen so viele zu Schrott), daß der Betrieb vier Jahre später ein Großunternehmen war und Ultimo einer seiner Vizedirektoren. Ihm unterstand die Nutzfahrzeugproduktion, eine rasant größer werdende Abteilung. Er verdiente nun viel Geld, baute ein Haus, trug Flanell aus England, hatte eine Dienstmagd, ließ den Käse, das Trockenfleisch, den Polentamais und den Wein aus seiner alten Heimat kommen, kaufte ein Grammophon, vor dem er Abend für Abend saß, mit einem Sherry in der Hand, und sich daran berauschte, wie Caruso La donna è mobile sang. Er rauchte Zigarren. Er wurde Bürger seiner neuen Heimat. Kaufte eines der ersten Autos der Stadt, einen barberaroten Fiat, ein Cabriolet, das er selber in Turin abholte. Die Sitze, das Armaturenbrett, alles war nach seinen Wünschen montiert. Singend fuhr er über die Berge (vermied den Simplon, weil er den Geist seines Vaters – der war längst tot – und die Gespenster der Maultiere fürchtete). Er wechselte drei Räder, verbrühte sich, als er arglos den Kühler aufschraubte, um nach dem Wasser zu sehen. Mit einem verbrannten Kinn und bandagierten Händen steuerte er – trotz allem strahlender Laune – sein Wunderfahrzeug durch Wälder, Schluchten, Dörfer, Staubwolken hinterlassend. Im Licht der untergehenden Sonne kam er zu Hause an und wurde von seiner Frau und seiner kleinen Tochter mit Blumen empfangen. Lächelnd zog er die Rennbrille, die Ledermütze und den Staubmantel aus. Nachbarn äugten durch die Zäune, verschwanden wie

Eidechsen in ihren Höhlen, als er ihnen winkte. Wie war das Leben schön! – Dann starb seine Frau, seine Tochter wurde größer und erwachsen, jene unerwartete Schönheit, und er verwandelte sich in einen Stein. Er sprach nicht mehr, aß kaum etwas, saß Nächte wach, hörte Dutzende von Malen jene Kantate von Johann Sebastian Bach, in der der Baß, herrlich singend, sich auf seinen Tod freut. Er kaufte keine Kleider mehr, nichts mehr eigentlich, löschte immer alle Lichter im Haus und lüftete alle Zimmer. Am 26. Oktober 1929, dem Tag nach jenem schwarzen Freitag, schlug er die Morgenzeitung auf und las, daß er sein ganzes Geld verloren hatte. Über Nacht war er wieder arm geworden. Er stand aus seinem Lehnstuhl auf, öffnete den Mund, griff sich ans Herz und krachte zu Boden. Da lag er, auf einem kostbaren Teppich, in einem purpurfarbenen Morgenmantel, den Schädel zwischen den Blättern der Zimmerpalme, die er umgerissen hatte. Seine starren Augen sahen zum Fenster hin, vor dem die Sonne noch nicht aufgegangen war. Der Morgenmantel hatte sich geöffnet, er lag nackt auf dem Rücken. Seine Haut, einst arvenholzfarben, glänzte jetzt wie altes Kupfer. So fand ihn die Mutter. Sie deckte ihn zu, löste die zerknüllte Zeitung aus seinen Fingern und las die Nachricht, die ihn getötet hatte. Aber sie begriff erst einige Zeit später, daß es nun auch für sie aus war mit dem reichen Leben. Jetzt starrte sie nur, beide Fäuste gegen den Mund gepreßt, auf diesen fremd gewordenen Mann, der im Tod einem Fürsten aus dem Morgenlande glich, der auf die letzten Huldigungen wartete.

Der Vater des Vaters nämlich, der Säumer, war noch viel dunkler gewesen. Das kam daher, daß *sein* Vater schwarz gewesen war, ein Afrikaner aus einem Hochland unter dem Äquator, und das in einem Alpental, wo sonst keiner wußte, daß jenseits der Berge auch Menschen lebten. Er hatte keinen Namen, der schwarze Urahn. Alle nannten ihn den Neger. Sogar die Mutter des Vaters des Vaters meiner Mutter tat dies, seine Frau, nicht etwa, weil sie ihre kurze Liebe zu ihm – sie hatte eine einzige Nacht gedauert – verleugnete. Im Gegenteil, sie betrieb lebenslang einen Kult um den Verschwundenen. Hatte einen kleinen Altar, darauf eine Kerze, die immer brannte und, weil sie kein Bild von ihm besaß, ein rätselhaftes Etwas beleuchtete, das der Neger an einer Schnur um den Hals getragen hatte. Ein Zahn? Eine Kralle? Sie kniete stundenlang vor dem ewigen Licht, küßte die Reliquie, rief den Namen, der ihr geblieben war. »Neger!« – Der Neger war vom Hunger aus seinem Land getrieben worden, von Stammesfehden. Er war, wie sein ganzer Stamm, groß und hager, und die siegreichen Rivalen waren stämmig und klein. Sie neideten den Hageren das Dattelgeschäft, und eine andere Religion hatten sie auch. *Ihr* Gott war ein Hund, während der Gott der Hageren ein Löwe war. Ihre Würdenträger, die Eingeweihten, trugen immer ein Löwenteil auf sich, ein Schwanzhaar, eine Pfote, einen Kieferknochen. Sie hetzten, ihrem Totemtier gleich, Büffel oder Gnus zu Tode, indem sie hinter ihnen dreinrannten, Stunden und Tage, bis ihre Opfer aufgaben. Niemand weiß, wie der Neger nach Europa gelangte, ob er in Genua oder vielleicht doch in Livorno an Land ging, wieso er vorwärts ging, vorwärts, ohne innezuhalten, ohne

zu essen und zu trinken, um Dörfer herum, in denen
Hunde bellten, durch Maisfelder und Rebberge und schließlich in jenes Felsental hinein, das steil nach oben führte,
direkt auf den höchsten der Eisberge zu, der im Abendlicht
glühte. Er keuchte, taumelte, sah kaum mehr, wo er ging.
Als er an ein paar Häusern vorbeikam, Geröllhaufen eher,
brach er zusammen. Lag ohne Besinnung. So fand ihn eine
junge Frau. Sie schleifte ihn rückwärts gehend an den Beinen in ihr Haus. Nun gab es schon kein Licht mehr. Im
Dunkeln zog sie ihn aus, flößte ihm Wasser ein, wusch ihn.
Um ihn zu wärmen, schmiegte sie sich an ihn, rieb ihn mit
Tüchern ab, sprach zu ihm: Wach auf!, wach doch auf! Sie
herzte, sie küßte, sie flehte. Noch nie hatte sie so eine Haut
geatmet. Himmel, betete sie, mach, daß er ins Leben zu-
rückkehrt, in mein Leben. – Irgendwann in der finstersten
Nacht regte sich der Neger, stöhnte so herzerschütternd,
seufzte so weh, daß die Frau ihre Anstrengungen verdoppelte. Niemand weiß, was genau in dieser Nacht geschah,
niemand sah das Paar, das sich nicht sah. Aber sie schrien,
sie heulten, das hörten alle. Sie tobten. Sie lachten sogar!
Dann, gegen Morgen, wurden sie still, und vielleicht schlie-
fen auch die andern auf ihren Lagern ein. Jedenfalls, als die
Sonne durch die Ritzen des Gewölbetors drang und die
Liebenden erleuchtete, lag die Frau schlafend auf dem
Rücken, nackt, leis atmend, lächelnd im Traum, die Arme
und die Beine weit auseinandergestreckt. Der Neger war
tot. Sein Mund stand offen, und seine weit aufgerissenen
Augen waren voller Tränen. Die Mitbewohner umstanden
ratlos das Paar, wagten nicht, die Frau zu wecken, den
Toten zu berühren. Endlich faßte sich ein alter Mann – der

Vater der Frau? – ein Herz und deckte die beiden mit einer Jacke zu. – Die Frau begrub den Neger, ihr Glück für eine Nacht, unter einem Kastanienbaum neben dem Haus. Neun Monate später gebar sie einen Sohn, den sie Domenico nannte. – So kam es, daß der Vater des Vaters des Vaters der Mutter schwarz war, der Vater des Vaters der Mutter braun, der Vater der Mutter kupferhell und die Mutter immer noch eine, die wie ein Kind der Sonne aussah.

EDWIN war jetzt ein Dirigent, einer ohne ein Orchester. Das Pult der Philharmonie war für einen wie ihn weiter weg als der Mond. Also schuf er sich sein eigenes Orchester, indem er jeden, der ihm unterkam und ein Instrument spielen konnte, dazu überredete, bei ihm mitzutun. Das waren in der Hauptsache Schüler und Schülerinnen des Konservatoriums; niemand jedenfalls war älter als fünfundzwanzig, als er seinen musizierenden Haufen beisammenhatte. Niemand, mit Ausnahme eines Violinisten, der auf die Sechzig zuging – Edwin ernannte ihn zum Konzertmeister – und sich eben im Streit von der Philharmonie getrennt hatte. Es war bei einer Probe um die Aufführbarkeit von neuer Musik gegangen, und er hatte die Kühnheit gehabt, dem Chefdirigenten – einem knochentrockenen Musikbeamten, der noch viele Jahrzehnte in dieser Position ausharren sollte – zu widersprechen, als der sagte, seit der Jahrhundertwende sei kein spielbares Stück Musik mehr entstanden. Und Korngold? hatte er gerufen. Huber? Bartók! – Er wurde fristlos entlassen. – Deswegen eröffnete das erste Konzert des Jungen Orchesters – so taufte Edwin sein neues Ensemble – mit der Suite op. 4 von Béla Bartók. Danach das Konzert für Pikkoloflöte und Streicher von Alexander von Zemlinsky. Es kam ins Programm, weil einer der nächsten Freunde Edwins – und, vorläufig, der einzige Bläser im Orchester – ein Flötist war, ein junger Virtuose, der das Pikkolo besonders liebte. Den Schluß machte die Uraufführung der Cinq Variations Sur Le Thème Le Ruisseau Qui Cours Après Toy-Mesme De François Richard des lokalen Komponisten. Edwin hatte unbedingt eine Uraufführung haben wollen und keinen andern Komponisten gefunden, der bereit und fähig war, in so kurzer Zeit etwas für ihn zu schreiben. Der lokale Komponist hatte sich über Edwins Anfrage sehr gefreut, in der ersten Nacht auch gleich fünf oder zehn Notenblätter mit seiner genialischen Schrift gefüllt. Dabei war es dann allerdings geblieben, so daß Edwin sich schließlich mit diesen Skizzen zufriedengab, die Blätter irgendwie in eine Reihenfolge brachte und die Stimmen – sowieso waren die Noten kaum zu entziffern – nach bestem Wissen und Gewissen orchestrierte. Da er über keine Bläser verfügte – der Flötist trat ja als Solist auf –, mußte das Murmeln des titelgebenden Bächleins von den Kontrabässen übernommen werden. – Die Proben waren unerbittlich. Wer zu spät kam, bekam Edwins Zorn zu spüren, wer seinen Part nicht gelernt hatte, noch mehr. Tatsächlich war Edwin so streng, daß seine Musiker, die Frauen vor allem, schon am dritten Probentag völlig begeistert von ihm waren. Proben am frühesten Morgen – die Studenten mußten ja zu ihren Kursen an der Musikschule –, Proben bis tief in die Nacht hinein: alle sahen immer hingebungsvoller zu Edwin auf. Er war so sicher! Am Tag des Konzerts lagen bei allen die Nerven blank, und alle wußten, daß heute etwas Bedeutsames geschah. Sogar der Konzertmeister, ein alter Hase, hatte ein seltsames Gefühl in der Magengrube. Das Konzert fand am 12. Juni 1926 im Historischen Museum statt. Das Publikum bestand – nun ja, es gab, vor allem im hintern Teil des Saals, auch einige Zuhörer, die einfach so gekommen waren – aus den Müttern und Vätern der Künstler, aus Bräuten und Bräutigamen, Tanten, Onkeln, Paten und Freunden aller Art. In Bartóks Suite op. 4 verschlug sich Edwin gleich zu Beginn, und der Konzertmeister riß seine Kollegen über den nächsten Takt. Dafür setzte der Konzertmeister kurz darauf falsch ein, und mit ihm alle ersten Violinen, so daß Edwin nachgab. Das Stück erntete verwirrtes Schweigen. Ein alter Mann im hintern Teil des Saals rief zaghaft Buh. Auch der Mutter gefiel das Stück nicht. (Sie war von einer Cellistin ins Konzert gelockt worden, ihrer besten Freundin, die dann eine Karriere in Berlin machte und in Buchenwald ermordet wurde.) Nach dem Zemlinsky waren die Buh-Rufer im hintern Teil schon mutiger; bekundeten ihren Unmut mit roten Gesichtern. Aber es gab auch Applaus für den Solisten. Nach den Cinq Variations aber brach ein regelrechtes Chaos aus. Die hinten im Saal buhten und johlten und pfiffen auf Schlüsseln, die vorn klatschten um so energischer und brüllten immer heftigere Bravos. Der lokale Komponist, der das Konzert in der Garderobe verbracht hatte, war kaum auf die Bühne zu bringen und verbeugte sich schwankend. Edwin war bei seinem ersten Konzert schon so beherrscht wie später.

Neigte allenfalls den Kopf. Der Saal toste so heftig, daß Edwin – gegen die Buher, zur begeisterten Freude der Klatscher – zwei der Variationen wiederholen ließ, die vierte und die fünfte, in der das Bächlein endlich das Herz der Geliebten überschwemmt und diese sich dem Werben der immer schrilleren Celli öffnet. (Die fünfte Variation wurde ja dann zum Wunschkonzert-Renner und bescherte dem lokalen Komponisten ein regelmäßiges Einkommen.) Natürlich war kein Kritiker der beiden Zeitungen der Stadt dabei, obwohl sie eingeladen worden waren. Aber vielleicht war das auch gut so, denn so wurden die Konzerte des Jungen Orchesters am nächsten Morgen schon ein Geheimtip. Jeder wollte hin, und sei es, um zu buhen und zu pfeifen. Als das endlich auch die Kritiker wollten – es gab natürlich weitere Konzerte –, wollte Edwin sie nicht mehr. Nie hat ein Kritiker, der nicht selber eine Karte gekauft hätte, ein Konzert des Jungen Orchesters besucht. – Nachher saßen alle – die Künstler, die Väter und Mütter, die Bräute und Bräutigame, die Paten, die Tanten und Onkel und Freunde, sogar der lokale Komponist! – in der Bayerischen Bierhalle, einem großen lärmigen Lokal, in dem das Bier in Einliterhumpen ausgeschenkt wurde und ein Blasorchester spielte. Auch meine Mutter war da. (Sie begleitete die Cellistin.) Sie saß am untern Ende des Tisches, an dessen Kopf Edwin saß. Er war inzwischen schwer in Fahrt – das Konzert war fast so etwas wie ein Skandal geworden! – und riß, mit seiner schneidenden Stimme, einen Witz nach dem andern. Gelächtersalven, während er ernst blieb. Offene Münder, gerötete Wangen. Der Konzertmeister war um dreißig Jahre jünger geworden und erzählte, wenn er zu

Wort kam, Musikeranekdoten. – Am untern Tischende ging es fast so lebhaft zu. Als meine Mutter durch eine laue Frühsommernacht nach Hause ging, trällerte sie vor sich hin, eine Melodie von Bartók, von der sie während des Konzerts noch gedacht hatte, sie möge sie nicht so sehr.

Es war damals schon nicht unbedingt die Art meiner Mutter, vor sich hin zu trällern. Bartók gar. Ihre alte Art hatte sie allerdings auch nicht mehr. Sie stand nicht mehr starr in Ecken. Sie war ja kein Kind mehr, war erwachsen geworden. Geblieben war ihr eine Neigung, die Fäuste zu ballen und sie so zusammenzupressen, daß ihr das Blut ins Hirn schoß. Diesen Gehirndruck ließ sie für ein paar Augenblicke andauern, löste ihn dann. Niemand sah das, niemand konnte das sehen. Daß sie für kurze Zeit diese Welt verlassen hatte. – Sie umsorgte den Vater, kümmerte sich ums Haus. Kaufte ein, beaufsichtigte das Dienstmädchen, bestimmte die Sitzordnung bei Einladungen. Vertrat, wenn die Gäste eintrafen, die Hausfrau. Wußte, wann sie vom Wetter sprechen mußte und wann von Ehrungen und Erfolgen. Sie trug hochgeschlossene Kleider aus Seide, die sie immer noch ein bißchen wie einen Backfisch aussehen ließen. Wenn sie – ihr Vater am andern Tischende – mit einem Gast plauderte, war sie ganz bei diesem und ließ doch keinen Augenblick lang die Tafel aus den Augen. Mit einem kaum merklichen Heben der Brauen bedeutete sie dem Dienstmädchen, daß ein Gast keinen Wein mehr hatte, daß einer Gästin die Serviette zu Boden gefallen war. – Aber sie hatte jetzt öfter Augenblicke, in denen sie dachte, in Tränen ausbrechen zu müssen. Jetzt, gleich, in dieser Sekunde noch. Aber niemals weinte sie, nie. Wie gern hätte sie es getan, obwohl oder eher weil das Weinen das Verbotenste war. Der Vater weinte nie, da war sie sich sicher. Der Großvater hatte gewiß nie geweint, der Urgroßvater schon gar nicht. Diese Starken! – Sie schaute nun oft ziellos vor sich hin, in irgendeine Ferne. Sie wußte dann unabweislich, daß sie ein Nichts war, niemand, wie Luft oder eher noch, jeden störend, ein kotartiges Etwas, das weggewischt gehörte mit einem Scheuerlappenwisch. – Wenn sie dann doch wieder in einer Ecke stand, groß und klein in einem, die Fäuste ballte, dann herrschte sie nicht mehr, sondern unterwarf sich nun. Wem auch immer, warum auch immer. Sie sah dann wieder in sich, sich selber in sich, wie ehedem. Sie kniete aber jetzt vor den Schuhen eines Königs oder Mörders, riesig hohen Stiefeln, von denen sie Kleine nur die Kappen sah, die Schnürsenkel allenfalls, den Wanderdreck, das Jagdblut. Sie wischte sie sauber, diese Riesenschuhe, wischte und putzte, leckte, sah endlich demütig nach oben, nach oben bis hinauf zum unter der Sonne schwebenden Königsgesicht, dessen Bart ihr entgegenhing. Seine Augen, glühende Kohlen! Sofort, noch während sie den Kopf nach oben wandte, mit den zarten Händen weiter die Schuhe wischte, wußte sie – sie wußte es! –, daß es verboten war, schrecklich verboten, das Erhabene zu sehen, und daß der Herr ihr Verbrechen bemerkt hatte. Und schon traten diese Schuhe zu, traten sie ins Gesicht oder in den Unterleib. Aber sie blieb stumm, denn vor dem König tat man keinen Laut. Sterbensglücklich kroch sie in den hintersten Winkel ihrer Höhle. – Irgendein Geräusch weckte sie auf, sie fand ins Leben zurück. Ging schnell in die Küche oder ins Herrenzimmer, wischte ein Stäubchen weg, rückte einen Stuhl zurecht. – Die Nächte verbrachte sie (schlafen konnte sie damals noch) in schwarzen Träumen. Sie stand jeden Morgen um sechs auf. Sie mußte aufstehen. Der Vater war ein Frühauf und erwartete (etwas anderes konnte er sich gar nicht vorstellen), daß sie ihm das Frühstück machte. So wie das seine Frau auch getan hatte. Wie alle Frauen früher. Also kochte sie Kaffee, buk das Brot auf, während der Vater, im Salon am Tisch sitzend, die Morgenzeitung las. – Im Sommer ging das ja noch, da gab es eine frühe Sonne vor den Fenstern. Aber im Winter! Ihr Zimmer war wie Eis. (Der Vater duldete nicht, daß ihr Ofen über Nacht brannte.) Ihre Kleider waren steif gefroren. Unterhosen, die knirschten, wenn sie sie über die Knöchel zog. Klirrende Strümpfe. – Die Wirbel, die sich in ihr drehten, drohten dann, sie mit sich zu reißen mit Haut und Haar. Als ob sie in sich selber weggurgeln könnte, sich in sich selber hineinstülpen und verschwinden, endgültig, von einem Todesstrudel in ihr Inneres gesogen. – Ein Schrecken. Eine Angst. Panik. – An solchen Tagen war sie doppelt genau. Sagte jedem Muskel vor, was er zu tun habe. Tat jede Handlung bedacht. Die Gabel jetzt! Das Messer nun! – Wenn im Familienkochbuch stand, daß sie fünfzig Gramm Mehl zu nehmen habe, dann nahm sie fünfzig. Nicht achtundvierzig und nicht einundfünfzig. Lieber wog sie das Mehl viermal. Sie war eine gute Köchin. Der Vater lobte sie, ja ja, das schmeckt gut, Kind. Fast wie zu Hause. – Zu Hause? Sie hatte gedacht, das hier sei das Zuhause.

MEINE Mutter war jetzt bei jedem Konzert des Jungen Orchesters dabei. Zuerst saß sie ganz hinten – die Plätze waren nicht numeriert –, in der Nähe des lokalen Komponisten, der seinen festen Platz am äußersten Ende der letzten Reihe hatte, neben dem Notausgang. Aber irgendwie fand sie sich bei jedem Konzert weiter vorn wieder, aus Zufall oder weil eine Freundin sie neben sich winkte. Vom fünften Konzert an hatte sie sich direkt hinter Edwin installiert. Zweite Reihe Mitte. – Edwin, von hinten, sah älter aus, als er war. Ein Zauberer, in seinem Frack, den er in Raten abzahlte, nach jedem Konzert fünfzig Franken. – Die Konzerte blieben aufregend. Die Musiker, diese Kinder, spielten, daß die Fetzen flogen. Ihre Begeisterung steckte die Zuhörer an, von denen kaum je einer von den Komponisten gehört hatte, deren Werke aufgeführt wurden. Auch die Mutter kannte weder Bartók noch Křenek oder Busoni. – Natürlich gab es weiterhin erregte Schlachten. Strawinskys zweite Suite etwa – *seinen* Namen kannte die Mutter – wurde vom hintern Teil des Saals ausgebuht, während der vordere – wo nach wie vor die Bräute und Väter saßen, mehr und mehr aber auch die von dieser neuen Musik Angefressenen – vor Begeisterung tobte. – Nach den Konzerten saßen alle zusammen, wie beim ersten Mal schon, nur nicht mehr in der Bayerischen Bierhalle, weil da ein Blasorchester lärmte, das ihnen beim ersten Mal nicht aufgefallen war. Sie versammelten sich nun im Weißen Kreuz, einem rauchigen Lokal, in dem nur die Mitglieder einer Studentenverbindung störten. Wenn die jungen Herren plötzlich alle stramm um ihren Tisch herum standen, die Bierhumpen vor die Brust hoben und irgendwelche

Gelöbnisse brüllten. – Die Mutter saß immer noch unten am Tisch, und Edwin oben. Nie sprachen sie miteinander. Edwin nickte ihr nicht einmal beim Abschied zu. Aber nach dem siebenten oder achten Konzert setzte er sich plötzlich neben sie und eröffnete ihr, daß sie ihm vom ersten Abend an aufgefallen sei. Daß er Erkundigungen über sie eingezogen habe. Und daß das Urteil seiner Freunde über sie günstig sei. Der Ruhm des Jungen Orchesters strahle inzwischen über die Stadtgrenzen hinaus; er wisse von Zuhörern, die aus Winterthur und Lenzburg angefahren kämen; und dies alles verursache eine Organisationsarbeit, die seine Kapazitäten übersteige. Auch wolle er ein Abonnement einrichten. Kurz, Edwin fragte die Mutter, ob sie eine Art Mädchen für alles werden wolle, Herz und Hirn des Jungen Orchesters. Kasse, Vorbereitung der Gastspiele, die jetzt gewiß kämen, die Betreuung der Solisten, Trost, wenn ein Orchestermitglied krank sei oder Kummer habe. Er sah sie ernst an, und sie sagte ja, ohne einen Moment zu überlegen. Über einen Lohn wurde nicht gesprochen. Niemand im Jungen Orchester kriegte einen Lohn, auch Edwin nicht. Geld kriegten die Komponisten, und auch sie nicht viel.

Sie stürzte sich in die Arbeit. Es gab so viel zu tun! Bis dahin war, nur zum Beispiel, das Geld der verkauften Eintrittskarten in einer Schuhschachtel gelandet, der Edwin entnahm, was er für das Orchester brauchte. Jetzt eröffnete die Mutter bei der Creditanstalt ein Konto und kaufte fünf Leitz-Ordner, die sie beschriftete und auf ein Regal stellte.

Sie sah sie an, und ihr Herz pochte. Einnahmen! Ausgaben! Allgemeine Korrespondenz! Abonnements! Reklame! Sie hatte eine schöne Handschrift. Ihre Buchhaltung, mit einer spitzen Feder und Tusche geschrieben, war ein Kunstwerk. Zahl unter Zahl, zarte Aufstriche und Abstriche wie Balken. Die Linien mit dem Lineal gezogen, die Endergebnisse rot und doppelt unterstrichen. Nirgendwo ein Tuschespritzer. – Natürlich hatte sie die Ordner selber bezahlt. Sie bezahlte auch das Papier, das Porto, den Druck der Handzettel. Sie hatte gewagt – immerhin war sie jetzt dreiundzwanzig Jahre alt! –, den Vater um ein monatliches Taschengeld zu bitten. Sie war dagestanden, vor dem Schreibtisch, hinter dem er thronte, die Fäuste geballt, das Kinn rot und nach vorn gereckt. Sie bebte. Der Vater sah sie an, sein Kind. Was war los? Er gab ihr doch zu essen! Kaufte ihr doch Kleider! Zahlte ihren Zahnarzt! Dann sah er ihre Augen, die glühten. Er nickte. »Zwanzig Franken«, sagte er. »Und ich will eine lückenlose Abrechnung!« Er nickte nochmals. Die Mutter atmete aus und ging. – In beschwörenden Briefen legte sie den Solisten dar, wieso sie für Gottes Lohn spielen mußten. Daß die Musik so großartig, daß ein Auftritt mit dem Jungen Orchester ein Schub für jede Karriere war. Manchmal telefonierte sie sogar, mit Papas Apparat, der wie ein Ungetüm aussah und eine zweistellige Rufnummer hatte. Der Papa merkte auch nicht *alles*! – Die Solisten wohnten dann bei ihr, in den beiden Mansarden unter dem Dach. Der Vater, der sie zuweilen beim Frühstück traf, war höflich und bot ihnen Zucker und Sahne an, obwohl ihm Puccini näher als Darius Milhaud stand und er nach wie vor zu den Konzerten der Philharmonie ging. Die des Jungen Orchesters ignorierte er, und die Musiker an seinem Frühstückstisch hielt er für Kinder, die von den Schmerzen des Lebens und der Musik noch nichts wußten. Einen jungen Fagottisten allerdings – er hätte sein Sohn sein können – schloß er dann mit einer Heftigkeit ins Herz, die diesen, die Mutter und ihn selber überrumpelte. Er kam aus Bergamo, der Fagottist, und kannte sich im Kochen von Saucen aus wie sogar der Vater nicht. Die Mutter hatte ihn am Bahnhof abgeholt, abholen wollen, denn er stieg auf der falschen Seite aus, und sie sah ihn erst, als der Zug weiterfuhr. Er kletterte fern schon über die Gleise, hinauf, hinab, immer weiter weg. Wenn er auf den Gleisen unten war, sah sie nur noch die Spitze seines Fagotts über der Bahnsteigkante, wie ein Periskop. Dann verschwand er zwischen den Häusern. Blieb den ganzen Nachmittag lang unauffindbar und kam nicht mehr ganz nüchtern zur Generalprobe am Abend. Sein Auftritt im Konzert war dann aber bravourös. – Der Vater der Mutter verliebte sich gleich beim ersten gemeinsamen Frühstück derart in seinen Landsmann – seine Frau war nun seit sechs Jahren tot –, daß er zu seinem Konzert ging, sich die Hände wund klatschte und ihn am Morgen darauf zum Bleiben aufforderte. Eine Woche lang kochten sie zusammen Ossobuco, Trippe und Riso trifolato. Debattierten mit roten Köpfen, auf italienisch. Zum Abschied kaufte der Vater der Mutter seinem Freund ein sündteures Kontrafagott von Calinieri, er, den die alte Armut so durchtränkt hatte, daß sogar seine Frau ihn für geizig gehalten hatte. Als der Freund, »ciao« und »grazie per tutto« rufend, über den Gartenweg davonging, rannen dem Vater der Mutter

Tränen aus den Augen, die die Mutter, die neben ihm stand und winkte, nur deshalb nicht wahrnahm, weil sie wußte, daß ihr Vater nie weinte. Dieser schrieb dem Fagottisten dann mehrere Briefe voller Rezepte und Andeutungen seiner Einsamkeit. Er kriegte keine Antwort. Im Herbst fuhr er mit dem Fiat nach Bergamo – diesmal über Julier, Bernina und Aprica – und fand an der Adresse, die ihm der Fagottist zum Abschied gegeben hatte, eine Frau mit drei Kindern, die alle in den gräßlichsten Dissonanzen weinten. Kein Fagottist. Er trieb ihn einen Tag später trotzdem auf, nach einer Vorstellung von Ernani im Opernhaus. Er kam Arm in Arm mit einer schwarzhaarigen Frau aus dem Bühneneingang. »Oreste!« rief der Vater der Mutter. »Sono io! Ultimo!« Aber der Fagottist, ohne ihn zu erkennen, plauderte weiter mit der Frau. Ultimo sah den beiden nach, bis sie um eine Straßenecke verschwanden. Am nächsten Morgen fuhr er nach Hause. – Vor den Proben stellte die Mutter die Stühle und Pulte bereit, zentimetergenau. Sie prüfte, ob der Raum genügend geheizt war. Ob ein Gebläse rauschte. Wenn während der Probe jemand laut sprach im Haus, oder gar hämmerte, huschte sie wie eine Furie nach draußen. Sofort wurde es still, sogar wenn der Direktor selber – sie waren nach wie vor im Historischen Museum – die Quelle des Lärms war. Sie kam als erste, ging als letzte. Entwarf ein Logo für die Plakate und das Briefpapier, ein in ein O verschlungenes J. Es gab jetzt auch einen Chor, bei dessen Proben die Mutter dafür sorgte, daß immer genügend Tee da war. Edwin merkte nicht einmal, daß er die Türen nicht mehr selber öffnete. Daß die Mutter das tat, wenn er näher kam, eine in Fetzen geblätterte Partitur unter dem Arm, den Blick in die Ferne gerichtet. Wie war er großartig. Er sprang berstend vor Energie aufs Podest, faßte alle Musiker gleichzeitig ins Auge und peitschte sie in die Himmel der Musik. Während der Proben saß die Mutter zwischen Rüstungen, die sie sogar sitzend überragte, und hielt einen Block und einen Bleistift auf den Knien. Denn manchmal rief Edwin, ohne mit dem Dirigieren innezuhalten, Sätze wie: »Wieso knarrt der Stuhl des Posaunisten?« oder: »Wir müssen bis morgen eine biografische Notiz zu Schoeck kriegen, fürs Programmheft.« Das notierte sie dann, wechselte den Stuhl aus und brachte am gleichen Abend noch den lokalen Komponisten dazu, ihr bei einem halben Liter Dôle alles zu sagen, was er von Othmar Schoeck wußte. Das war viel, wenn auch nicht systematisch; und nicht allzu genau. Sie schrieb es auf, schrieb es – zu Hause – um und nochmals um und endlich ins reine. Gab das Manuskript Edwin, der zerstreut nickte und es in eine Tasche knüllte. Sie hatte Augen nur für ihn. Sie wußte nicht, wie sie leuchtete, daß sie ihn mit den Augen verschlang, wenn er vor dem Orchester stand und immer erneut Takt 112 hören wollte, bis sich die ersten Violinen wirklich ppp am Melodiebogen der Oboen rieben. (Es gab jetzt Oboen im Orchester, auch Klarinetten, Hörner, Posaunen.) Die Musiker sahen die Augen der Mutter sehr wohl. Nur Edwin bemerkte sie nicht. – Die Presse kam jetzt zu den Konzerten, seit kurzem sogar Friedhelm Zust, *der* Musikkritiker der Stadt. Er kaufte ohne zu murren seine Eintrittskarte. Es schien ihn sogar zu amüsieren, daß er bezahlen mußte. Jedenfalls beeinflußte es seine Kritiken nicht, obwohl er in den Fängen Beethovens und Tschaikowskys blieb und einem Prokofjew wenig abgewinnen konnte. Die Mutter schnitt alle Kritiken aus und klebte sie in ein Album. Sie war begeistert. Sie war glücklich.

IHR Vater erlaubte ihr jetzt – sogar er sah, daß sie eine Frau geworden war –, zu Bällen zu gehen, die die Eltern von Freunden und Bekannten für ihre groß gewordenen Töchter und Söhne gaben. Familien ohne Namen zwar, aber alle mit einigem Geld. Die andern Vizedirektoren der Maschinenfabrik zum Beispiel, oder befreundete Ärzte und Rechtsanwälte. (Die Bodmer, die Montmollin, die Lermitier hatten andere Gäste.) Im Winter waren es lichterleuchtende Feste in Salons, aus denen man die Eichentische und Teppiche weggeräumt hatte. Im Sommer Partys in Stadtgärten voller Lampions. Die Mutter trug jetzt keine hochgeschlossenen Backfischkleider mehr, sondern flog in wehenden Röcken übers Parkett. Weite Ausschnitte, leuchtende Farben, Blumenmuster. Manchmal eine rote Rose auf einer Brust. Sie tanzte leidenschaftlich, mit einem unbeirrbaren Ernst, auch wenn die andern längst, vom Champagner beseligt, herumhopsten. Sie glitt. Ihre Schultern blieben stets auf gleicher Höhe, ja, hätte man ein Glas mit diesem Champagner auf sie gestellt, kein Tropfen wäre verschüttet worden. Bald wollten die besten Tänzer mit ihr tanzen, mit ihr, mit ihr. Sie unterwarf sich jedem gleich gern, auf seine Führung reagierend, noch während sie in ihm entstand. Als einer der Männer, ein Herr Hirsch – Herr Hirsch war ein Deutscher aus Frankfurt und hatte sich für zwei Semester an der Uni der Stadt eingeschrieben –, ihr hingebungsvolles Tanzen mit Leidenschaft für ihn verwechselte und sie in einem Wintergarten küßte, wurde sie steif wie ein Stock. Sie hatte bislang nie darüber nachgedacht, aber sie konnte Herrn Hirsch ohne zu zögern, in wahrhaftiger Entrüstung, sagen, daß sie sich für den Richtigen aufbewahre und daß er der Falsche sei. (Sie bemerkte tatsächlich nicht, daß ihre Freundinnen, ausnahmslos alle, an ihren Tänzern dahinschmolzen wie Wachs in der Sonne und daß sie, in demselben Wintergarten oder in schwarzen Ecken des Gartens, eindeutige Griffe unter die Röcke begeistert genossen. Ihre Lippen in die sie küssenden zurückwühlten. Sie hielt so etwas nicht für möglich, bei Freundinnen, bei Frauen, die sie kannte und die wie sie waren.) Sie tanzte weiter, wirbelte und wirbelte.

– In heißen Sommern unternahmen die Advokatentöchter und Vizedirektorensöhne Ausflüge, über Wiesen und durch Wälder, zu einsamen Bergseen hin, in denen sie in improvisierten Kostümen – Unterhosen, Unterröcken – badeten, die dann, wieder an Land, am Körper klebten. Die Männer schwammen zuweilen sogar nackt. Es waren die zwanziger Jahre, immer noch, niemand war prüde, das gab es nicht. Die Männer lächelten wissend, während sie Gedichte rezitierten, in denen der Opiumgenuß besungen wurde. Die Frauen hatten Bubiköpfe und rauchten mit langen Mundspitzen ägyptische Zigaretten. Auch die Mutter badete in ihrem Unterrock, und neben ihr schwamm der splitternackte Herr Hirsch. *Das* ging gut, *das* war nicht das Problem. Sie aßen ihr Picknick aus Körben, naß, nur halbwegs bekleidet, lachten und johlten. Die Mutter, ein bißchen abseits sitzend, lächelte ernst. – Der Vater lieh ihr jetzt zuweilen das Auto. Oft hockte nun die ganze Bande darin, aufeinandergepackt, die Mutter am Steuer. Sie fuhren zu einem Landgasthof in den Voralpen oder um den ganzen See herum. Pausen an Holztischen, unter Weinranken; keiner, nicht einmal die Mutter, war ganz nüchtern gegen Abend. Das Verdeck des Fiat war jetzt offen, und die Bauern in den Feldern schauten der seltsamen Fuhre kopfschüttelnd nach, wenn sie in die untergehende Sonne hineinverschwand. Auch die Polizisten lächelten. – Niemand, die Mutter schon gar nicht, wäre je auf die Idee gekommen, Edwin einzuladen. Aber immer öfter kam sie mit dem Fiat zur Probe, und danach fuhr sie ihn nach Hause. Er wohnte immer noch im Industriequartier. Sie ließ ihn vor der Tür aussteigen, ohne den Motor abzustellen. Fuhr sofort weiter.

Das erste Gastspiel des Jungen Orchesters war gleich in Paris. Dort fanden nämlich die 3èmes Journées de Musique Contemporaine statt, eine Veranstaltungsreihe, die neueste Musik vorstellte und sich mit der französischen Erstaufführung der Rhapsody in blue bereits einen Namen gemacht hatte. Die Mutter schrieb und schickte Telegramme, aber endlich saßen alle – achtundzwanzig Musiker, ihr Dirigent und sie – im Zug nach Paris. Jeder hatte ein Lunchpaket auf den Knien, das die Mutter in der Nacht zuvor in ihrer Küche zurechtgemacht hatte. Ein Käsesandwich und ein Apfel. Dazu Himbeersirup aus Feldflaschen. Alle waren strahlender Laune und zeigten sich gegenseitig die von einer fahlen Sonne beschienenen Tümpel und Weiher, an denen der Zug vorbeiflog. Pappeln, Trauerweiden, bunte Wälder, hie und da ein fernes Dorf aus grauen Häusern. Topfflach alles zwischen Basel und Paris Est. Sie kamen am Abend an, am Abend vor dem Konzert, suchten das Hotel, das der Mutter vom ersten Kontrabassisten empfohlen worden war, das sie daraufhin von oben bis unten gemietet hatte und das sich als noch schäbiger erwies, als sie es sich in den schlimmsten Phantasien vorgestellt hatte. Nasse Wände, abblätternde großflammige Tapeten in düsterem Blau oder Bordeauxrot. Aber sie waren ja in Paris, da gehörte das Elend zur Folklore und machte den Rest der Stadt noch schöner. Sie spazierten, ein Zug schnatternder Mädchen und Buben, durch das Quartier Latin, staunten Saint-Germain-des-Prés an und aßen in einem Lokal, das A la Soupe Chinoise hieß. Es gab Chop Suey für alle, eine Speise, die keiner kannte und die drei Francs kostete. Dazu »un ballon de rouge«: Edwin, der Weltmann, konnte auch korrekt bestellen. Spät, glücklich, etwas angedudelt sanken alle ins Bett, und das Hotel, hätten die letzten Heimgeher auf der Straße Ohren gehabt, bebte im gleichmäßigen Atem der dreißig Schläfer und Schläferinnen, die alle Träume in Dur hatten. – Am nächsten Morgen fuhr die Mutter ganz allein mit der Metro zur Mutualité und inspizierte den Saal. Er war eine lichtlose Höhle, hing voller Transparente des Syndicat des Transports Publics Parisiens, sei aber, abends mit Saallicht, von packender Atmosphäre. Das versicherte jedenfalls der Vertreter des Veranstalters, ein junger Mann, der wie Trotzki auszusehen versuchte. Die Mutter stellte die Stühle und Pulte auf. Die Saalprobe verlief zu aller Zufriedenheit, alle waren so erregt, daß es sie kaum irritierte, daß die Heizung nicht funktionierte – es war erst Oktober, aber dieser war kalt wie ein Dezember – und im Saal keine zwölf Grad Celsius waren. Am Abend war es kaum wärmer. Es kamen vierunddreißig Zuhörer, unter ihnen Maurice Ravel, der schmal und in einen dicken Mantel gehüllt am Rand der dritten Reihe saß, neben einer jungen Frau, von der nur die Nasenspitze aus vielen Pelzen hervorschaute. Das Junge Orchester spielte die Lieder nach Tagore von Willy Burkhard, die Sarabande für Streichorchester und Continuo von Armand Hiebner und die zweite Suite ebendieses Ravel, der dort unten im Saal saß. Nach dem Konzert kam Ravel nach vorn und gab Edwin die Hand. »Bien, très bien«, murmelte er. »Continuez comme ça.« Daß er nicht zum Essen mitkam, tat der guten Laune keinen Abbruch, und Edwin rief, daß die Speisen und Getränke auf die Rechnung des Jungen Orchesters gingen. Die Mutter wurde erst weiß vor Schreck und dann selber mehr und mehr von der Freude aller mitgerissen; sie bezahlte am Schluß heiter einen Betrag, der das eben erstellte Jahresbudget zur Makulatur machte. Um zwei oder drei Uhr waren alle betrunken und satt, und das Orchester war bankrott. Singend zogen sie den Boulevard Saint-Germain entlang, ihr Hotel lag in einer der engen Seitenstraßen. Edwin hatte sich bei der Mutter untergehakt, die, wie er, mit lauter Stimme sang: ebenso rein wie er. Das ganze Orchester sang, vielstimmig. Es waren eher Gesänge wie Heut geh ich ins Maxim oder Ich wollt ich wär ein Huhn als Stücke aus dem Repertoire. Im Hotel – alle alberten herum und umarmten sich – landete Edwin irgendwie im Zimmer der Mutter und küßte sie. Natürlich gab sie seine Küsse zurück. Er war der Richtige. Er blieb die ganze Nacht, die kurze restliche Nacht, und im Morgengrauen wälzten sie sich immer noch, lachend, verliebt, sich herzend und küssend, erfüllt und erlöst. Es war wunderbar. Um sieben Uhr früh stand die Mutter auf – Edwin blieb liegen –, weil sie vor der Abfahrt des Zugs noch zur Mutualité mußte. Die Abrechnung und der vergessene Filzhut eines Bratschisten. Der junge Trotzki war wieder da, auch er übernächtigt. Die Mutter erhielt die Tantiemen für zweiunddreißig zahlende Zuhörer – wenig genug –, unterschrieb die Quittung und küßte den Revolutionär zum Abschied. Der wußte nicht, wie ihm geschah, und wurde über und über rot. Die Mutter setzte sich den Hut des Bratschisten auf, hetzte zur Gare de l'Est, sprang auf den letzten Waggon des Zugs auf und quetschte sich – alle Abteile voll – neben die Cellistin. Edwin war auch irgendwo und las in einer Partitur. Alle waren jetzt stiller als auf der Hinfahrt. Auch die Mutter schlief, den Kopf an die Schulter ihrer Freundin gelehnt. Später blinzelte sie auf die vorbeihuschenden Gewässer mit den Weiden. Auf Kühe, Pferde, auf Bauern, die dem Zug nachsahen und sich am Kopf kratzten. Es war erneut Nacht, als sie zu Hause ankamen. Sie trennten sich ohne große Abschiede. Die Mutter ging zu Fuß nach Hause, quer durch die Stadt. Ihre Füße raschelten im Laub, und ihr Herz brannte.

Am nächsten Morgen starb ihr Vater. Es war kaum sechs Uhr früh, als die Mutter, immer noch durchglüht von dem Erlebten, in den Salon gelaufen kam, weil sie, in der Küche mit der Kaffeekanne herumhantierend, eine Art Schrei gehört hatte, ein Hilfegurgeln, ein Wutschnauben. Ultimo lag neben der Topfpalme und hielt die Samstagszeitung in der Faust der rechten Hand zerknüllt. Er starrte zur Mutter hoch, schrecklich, hatte den Mund weit offen und atmete mit unregelmäßigen Stößen. Die Mutter wußte sofort, daß das der Tod war. Tatsächlich war Ultimo still und ohne jede Bewegung, als der Arzt – keine Viertelstunde später – durch die Tür geeilt kam. Er kniete trotzdem neben ihm nieder, horchte an Herz und Lunge, fühlte seinen Puls und blinkte ihm mit einer Taschenlampe in die Augen. Als er sie ihm schloß, mit zwei Fingern der rechten Hand, begannen die Lippen der Mutter zu zittern. Kinn und Hände zitterten, die Knie, so daß sie auf einen Schemel sank. Ultimo lag nackt da – der Morgenmantel offen –, fremd und böse. Dicke Lippen, weiße Haare, ein Bart aus Drähten. Schwarze Haut. Die Mutter bebte am ganzen Körper und mußte sich am Kaminsims festhalten, als sie aufstand und eine Decke über ihn warf. Der Arzt räusperte sich und sagte: »Ja, nun, ich muß jetzt«, und erst jetzt sah sie, daß er nur gerade einen Regenmantel über einem blauweiß gestreiften Pyjama trug und daß seine Füße ohne Socken in Hausschuhen steckten. »Kopf hoch, Fräulein!« Er schloß die Tür hinter sich zu, ohne sich nochmals umzudrehen. Die Mutter zitterte noch eine Stunde lang und machte sich dann daran, das Begräbnis zu organisieren, besinnungslos, als sei es ein weiteres Gastspiel des Orchesters. Die Todesanzeigen, die vielen *faire-part* – nahezu hundert, Adressen in Frankreich, Italien, den USA –, das Zivilstandsamt, die Kirchengemeinde. Das Bestattungsunternehmen. Sie wählte einen Sarg für Könige, obwohl oder weil Ultimo sich nie in so einen gelegt hätte. Die Beerdigung war in einem eigentlich längst geschlossenen Friedhof auf den ehemaligen Stadtbefestigungen oben, den Schanzen, in einem Garten voller Astern und uralter Bäume, von dem aus die Toten auf den See hinunter und bis zu den weißen Bergen sehen konnten. Ultimo hatte bei seiner Verehelichung ein Familiengrab erworben, das vier Toten Platz bot. Seine Frau lag seit neun Jahren darin. Nun war er dran. Die Mutter, meine Mutter, wurde fünfund-fünfzig Jahre später an seiner Seite begraben: so daß heute noch ein Platz frei ist. Das Grab steht, genau wie damals, zwischen den schloßgroßen Trauermonumenten der Fami-lien Scheuchzer-Vom Moos und Ebmatinger und zeigt – Ultimo hatte die Grabskulptur nach dem Tod seiner Frau bei dem gleichen Künstler bestellt, der auch die Ebmatin-gersche Gedenkgruppe geschaffen hatte – einen gram-gebrochenen Marmorengel mit riesigen Schwingen, der einen demütigen Mann mit Hut und Mappe und ein klei-nes Mädchen, die über den Körper einer Frau geworfen sind, tröstet oder erdrückt. Die beiden sind aus einem etwas dunkleren Stein, und das Mädchen sieht hochschwanger aus. – Es war ein strahlender Herbsttag. Der Himmel blau, wie gemalt, hoch fliegende Vögel darin. Die halbe Stadt – mit Ausnahme der Bodmer, der Montmollin und der Ler-mitier natürlich – drängte sich zwischen den Trauerweiden und Grabtempeln, deren Inschriften alle vom Ruhm be-sonderer Toter kündeten. Keiner, der nicht ein Prokurist oder wenigstens ein Philanthrop gewesen war. Hie und da ein Kind, sein Foto unter Glas, erschütternd. Ein Priester sprach, mit den Flügeln schlagend wie ein Vogel, und die Mutter wartete während seinem heiligen Singen darauf, daß ein Blitz aus den Himmeln führe und dem Priester und ihr klarmachte, daß Ultimo auch im Tod mit *diesem* Gott nichts zu tun haben wollte. Daß die Mutter seinen letzten Willen – es gab kein Testament – freventlich mißachtet hatte. Daß *sein* Gott immer noch ein Löwe war. Aber nichts geschah. Ein Jugendfreund versuchte kläglich, an die lustigen Streiche der Studentenzeit zu erinnern, und zum Schluß – als Hauptredner – rühmte der Direktor der Maschinenfabrik das Arbeitsethos seines Mitarbeiters. Er schloß mit den Worten, daß die Nutzfahrzeugproduktion ohne den Einsatz des Toten nicht das geworden wäre, was sie geworden sei. Das heißt, er wollte wohl mit diesen oder ähnlichen Worten schließen, wurde aber von einem so heftigen Hustenanfall überwältigt, daß er mitten im Satz aufgab, hustend zur Mutter ging und hustend ihre beiden Hände drückte. – Nachher gingen alle, der Direktor immer noch in sich hineinkeuchend, in ein Restaurant unten am See, das Nobellokal der Stadt. Aßen, um weiße Tische herumsitzend, Bündner Fleisch und Rohschinken und tranken Wein aus Ultimos Heimat: Chianti zwar, keinen Barolo; aber immerhin. – Eine rechte Stimmung wollte trotzdem nicht aufkommen. Im Gegenteil, alle wurden – auch wenn der eine oder die andere eine traurig-herrliche Erinnerung zum besten zu geben versuchte – mit jedem Bissen und Schluck gereizter, verstörter, entsetzter. Einer, der Jugendstaatsanwalt des städtischen Gerichts, schien nach kaum zwei Gläsern schon wie von Sinnen und sprach laut vor sich hin. Sein Nachbar, ein Teilhaber einer Privatbank, kriegte einen roten Kopf, schrie den Jugendstaatsanwalt endlich an: »Muß ich mir das anhören? Muß ich? Muß ich das??«, brach in Tränen aus und rannte zum Klo. Niemand konnte und wollte sich um ihn kümmern, denn der langjährige Schachpartner Ultimos – ein Notar, der immerhin eine Lermitier geheiratet hatte, wenn auch eine aus einer Nebenlinie – hieb jäh mit seiner Faust auf den Tisch, traf sein Weinglas – es zersplitterte – und rief, mit einer blutenden Hand herumfuchtelnd, daß das die Strafe sei, die Strafe Gottes, des Herrn. Er habe es immer gesagt. Weg, weg, alles weg, die Zukunft vorbei. Sein Blut spritzte über den ganzen Tisch und auf die Bluse der Cellistin. Sie sprang auf und starrte entsetzt auf ihre befleckte Brust. – Es waren die Hiobsmeldungen der Wallstreet, die alle so erregten. Keiner, der nicht über Nacht ein halbes oder ganzes Vermögen verloren hatte. Bald standen alle um die Tische herum und schrien aufeinander ein, als kriegte der, der den andern niederbrüllte, noch eine letzte Chance. Der Privatbankier war jetzt auch wieder zurück, saß als einziger an seinem Platz und weinte still weiter. Eine Frau, eine Dame mit einer Nerzstola um den Hals und Goldreifen an den Armen, wollte sich beruhigend zwischen zwei der tobenden Männer werfen – zwischen ihren Mann und ihren Liebhaber – und kriegte einen derart wuchtigen Schlag ins Gesicht, daß sie über einen Stuhl flog und unter dem Tisch landete. Schwer zu sagen, wer geschlagen hatte, der Mann oder der Liebhaber. Vielleicht beide. Beide jedenfalls wollten sie wieder auf die Beine stellen, Entschuldigungen stammelnd, aber sie ließ sich nicht helfen, schrie unter dem Tisch hervor, daß sie beide die gleichen schlappen

Schwänze hätten. Kein Unterschied, aber gar keiner. Ja, ja, jeder hier solle es hören, keiner habe sie je glücklich gemacht. Nicht *ein* Mal. – Sie kroch unter dem Tisch hervor und rannte davon, mit klirrenden Armreifen, einer blutenden Nase, ihren Nerz hinter sich herschleifend. – Das war das Signal für alle andern, auch davonzustieben. Sie drängelten durch die enge Tür und flohen, einander überholend, ins Freie hinaus. Immer ferner ihr Getöse, und endlich eine Stille wie nach einer Explosion. Eine Fliege surrte am Fenster. Die Mutter saß allein an einem der Tische und starrte auf umgekippte Gläser, Scherben, Rotweinflecke und Blut. Eine Fliege surrte, war still, surrte weiter. Endlich seufzte die Mutter, stand auf und drehte sich um. Einer Saalwand entlang saßen an einem langen Tisch bewegungslos und schweigend zehn oder auch zwanzig Gäste in schwarzen Kleidern, mit roten, nein, mit geradezu schwarzen Gesichtern, Haaren wie Wälder und dicken Lippen. Eine Horde Riesen, die Pratzen statt Hände hatten, auch die Kinder. Die Mutter starrte die seltsamen Gäste an, und diese blickten aus weit aufgerissenen Augen zurück. Lange, viele Atemzüge lang rührte sich niemand. Aber plötzlich stand das größte der Ungetüme auf, ein wahrer Ahn, trat auf die Mutter zu, breitete die Arme aus und rief: »Ma guarda un pò! Clara! La piccola Clara!« – Es waren die Brüder Ultimos und die letzte Schwester. Dazu der Mann der Schwester, die Frauen der Brüder, die Kinder und die Enkel. Ein paar ferne Vettern und Cousinen auch und einige, von denen niemand wußte, wie und ob sie mit Ultimo verwandt waren. Alle wollten, obwohl sie den lebenden Ultimo nicht ein einziges Mal besucht hatten, vom toten

Abschied nehmen. »Vieni, Chiarina, siediti!« Die Mutter setzte sich also neben den Onkel. Nun sprachen alle, alle gleichzeitig. Sogar die Kinder hatten Stimmen, als ob Steine die Berge hinabschlügen. Die Mutter versuchte zu antworten und merkte entzückt, daß sie Italienisch konnte. »Cara zia! Carissimo zio!« Sie begann zu schwatzen, »ah, se sapessi, zio mio, la mia vita! Dolori! Lacrime! Un martirio!«, wurde immer mutiger und fügte hier ein »magari« und dort ein »dunque« ein. Alle hatten sich ihr jetzt zugewandt und hörten zu, wie sie redete. Oh, ah, das war ihr Blut! Sie fühlte sich immer beschützter zwischen diesen Bergriesen, wurde immer kleiner, durfte es. Clara, la piccola Clara. Als sie lange nach Mitternacht das Lokal verließen – die Rechnung sollte das ganze Geld, das die Mutter noch besaß, verschlingen –, lachten und brüllten alle gleichzeitig, umarmten sich einmal und noch einmal, riefen sich, weggehend schon, eine neue Erinnerung, einen letzten Abschiedsscherz zu, auch die, die nur so mitgefahren waren, zum Vergnügen, und sich an Ultimo nicht erinnerten. Die Mutter winkte, bis auch der letzte der wiedergefundenen Familie fern in einer Altstadtgasse verschwunden war – das Gelächterdröhnen war noch eine Weile lang zu hören –, und ging nach Hause, ins leere Haus. Sie warf sich in ihr Bett, entschlossen, am nächsten Morgen zu schlafen wie noch nie. Bis Mittag, länger! Sie hatte den Onkeln und der Tante versprochen, gleich sofort, früher als übermorgen, im Frühling spätestens nach Villa di Domodossola zu kommen, das Steinhaus zu sehen, in dem das Leben Ultimos seinen Anfang genommen hatte.

DIE nächsten Wochen, Monate sogar, war die Mutter damit beschäftigt, das Haus aufzuräumen – sie richtete die umgestürzte Topfpalme auf und wusch das letzte Frühstücksgeschirr –, die Bücher, in die der Vater alle Einnahmen und Ausgaben in seiner sorgfältigen Schrift eingetragen hatte, zu verstehen und zu prüfen, die Wertpapiere zu finden und zu ordnen, herauszukriegen, mit welchen Banken der Vater umgegangen war, zum Erbschaftsamt zu gehen, mit dem Direktor der Maschinenfabrik über das Finanzielle des Tods des Vaters zu sprechen – sein Vertrag sah keine Zahlungen vor, die über seinen Tod hinausgingen –, sich um die offenen Rechnungen zu kümmern. Natürlich hatte der Vater keine Schulden. Er, der Gewissenhafte. Immerhin aber waren die neuen Reifen für den Fiat noch nicht bezahlt, und auch achtundvierzig Flaschen Mouton Rothschild nicht, trinkfertig, vom Jahrgang 1919. Es war das erste Mal gewesen, daß der Vater seiner Heimat untreu geworden war. – Dazu kam natürlich das Orchester. In der Zeit waren in der Stadt just die Mozart-Tage, und das Junge Orchester wagte sich auf ein neues Terrain und spielte bislang – in der Stadt wenigstens – unbekannt gebliebene Werke wie KV 134, KV 320e und KV 611. Alles Erstaufführungen. (Später sollte Edwin den bis dahin in der Stadt nie gespielten Idomeneo dirigieren, konzertant, mit Lisa Della Casa, Ernst Haefliger und Paul Sandoz. Das war aber später, sehr viel später, und es wurde einer der größten Triumphe des Orchesters. Edwin war inzwischen zu einem Mozart-Spezialisten herangereift. Zwar sparte er die von jedermann geliebten Stücke weiterhin in seinen Konzerten aus. Keine Jupiter-Sinfonie, kein KV 491, keine Figaro-

Ouvertüre. Auch die g-Moll-Sinfonie nahm er nie in eines seiner Programme auf. Aber er liebte sie inzwischen so sehr, daß er die Originalpartitur erwarb, *bevor* er die erste Milliarde beisammenhatte. Ein unglaubliches Glück, eine einmalige Chance, eine kostspielige Angelegenheit.) – Die Mutter sauste also herum, prüfte vor den Proben, ob die Heizung funktionierte und nicht lärmte, rückte die Stühle zurecht, stellte den Tee bereit, all das. Es war eine hektische Zeit, es hätte, beinah, eine schöne Zeit sein können. Viel Rummel, viel Applaus, viele neue Menschen. Der junge Rudolf Serkin spielte zwei frühe Klavierkonzerte, KV 175 und KV 246. Die Mutter war wie in einem Traum, sehend blind, hörend taub und fühlend empfindungslos. – Als sie alle Papiere gesichtet, mit allen Vertretern der Banken des Vaters gesprochen, am Schreibtisch des Vaters sitzend alle Zahlen addiert und nochmals addiert und neu addiert hatte, fuhr ihr der Schreck so plötzlich ins Herz, daß sie auf- sprang und das Fenster aufriß. Sie atmete heftig die kalte Herbstluft ein, und nach zehn oder auch zwanzig Atem- zügen *verstand* sie. Daß sie arm geworden war. Daß sie kein Geld mehr hatte, kein bißchen mehr als nichts. Sie war jetzt vierundzwanzig Jahre alt, hatte nichts gelernt, war schön und noch nie ohne Geld gewesen. Auf dem Konto war ge- rade noch der letzte Lohn des Vaters. Die Papiere – Ford, Mechanical Irons, White Sewing Machine und andere, ebenso todsichere Titel – waren wertlos geworden. – Sie hatte zwar noch das Auto und das Haus. Aber der Fiat war inzwischen auch nicht mehr der Jüngste, und sie konnte froh sein, daß ihn ein Freund des Vaters für tau- sendfünfhundert Franken übernahm. Mit dem Haus ging es noch schlechter. Sie merkte bald, daß nur ein paar Immobilienhaie Häuser kauften – der ins Bodenlose gestürzten Preise wegen – und alle andern, genau wie sie, kein Geld mehr hatten. Das Haus war mit einer Hypothek von 150 000 Franken belastet, und genau so viel bot ihr einer der Teilhaber des Büros Sarazin, Sarazin & Rochat dafür. Hundertfünfzigtausend minus hundertfünfzigtausend machte Null. Sie verschenkte das Haus, weil sie dessen Zinsen nicht hätte bezahlen können. – Die ganze Zeit über hatte sie Edwin kaum gesehen. Sie wußte nicht, warum, sie traf ihn allenfalls zwei, drei Male im Büro, bei den Proben, sonst nicht. Sie hatte an so vieles zu denken, daß sie nicht an Edwin dachte, kaum je, nie eigentlich. Einmal hatte sie von ihm geträumt, oder, kann sein, von ihrem Vater. Er war ein großes Pferd und trat nach ihr, ohne sie zu treffen allerdings. Trotzdem rannte sie wie gehetzt davon, glitt auf einem Eisfeld aus, rutschte und rutschte und stürzte, im Glatteis nach Halt suchend, in ein großes Loch, eins, wie sie die Eskimos ins Eis schlagen, wenn sie Robben fangen. Sie versank in einem hellblauen Wasser. Weit über sich sah sie, daß Edwin durchs Eisloch zu ihr hinabschaute. Sie reckte, absinkend, eine Hand zu ihm hoch. Er rührte sich nicht. – Sie wachte auf und zitterte wieder. – An dem Tag, da sie einem der Herren Sarazin das Haus schenkte, fand sie Edwin im Büro vor. Er grüßte sie kaum und blätterte in der Abonnentenkartei herum. Sie setzte sich an ihren Tisch und sagte: »Ich brauche ein Zimmer. Ein billiges.« – Edwin hob den Kopf und sagte: »Meins wird gerade frei.«

»Dein Zimmer?!«

»Ich hab's mal durchgerechnet. Für Mozart kriege ich eine

ganz gute Gage von der Stadt. Dann habe ich fünf Gast-
dirigate bis Ende Jahr. Ich habe mir eine Wohnung am Fluß
gemietet. Drei Zimmer, Balkon aufs Wasser hinaus. Sehr
schön, wirst sehen.«

Die Mutter schluckte. Sie starrte auf den Andruck eines
Plakats fürs nächste Konzert, dessen Buchstaben tanzten.
Dann sagte sie: »Ich nehme das Zimmer.«

So daß es Mai wurde, ein blühender Frühling, bis die Mutter ihr Versprechen wahr machen konnte, die Onkel, die
Tante und all die andern Verwandten zu besuchen. Es regnete allerdings in Strömen, als sie ihren kleinen Leder-
koffer – ein Erbstück voller aufgeklebter Etiketten von
Hotels wie dem Suvretta und dem Danieli – zum Bahnhof
trug. Sie fuhr dritter Klasse. Es goß, als sie in Bern umstieg,
und eine wahre Sintflut stürzte vom Himmel, während sie
im Bahnhofsbüffet von Brig saß und auf den Anschlußzug
nach Domodossola wartete. Der bestand aus einer winzig
kleinen Dampflokomotive, einer dampfspeienden Drai-
sine eher, und zwei Waggons der italienischen Staatsbah-
nen, die für jedes Abteil eine eigene Tür hatten. Die Fahr-
kartenkontrolle fand im Bahnhof statt, beim Einsteigen,
das heißt, ein Schaffner schaute ungerührt und trocken zu,
wie sich die paar Reisenden durch die himmlischen Was-
serfälle zum Zug hinüberkämpften. Im Abteil saß die Mutter, tropfnaß, zusammen mit einem ebenso verregneten
Priester, der zuerst in einer Bibel zu lesen vorgab und bald
nur noch, der Hitze – die Luft im Abteil kam aus dem
Süden – und seines nassen Rocks wegen, vor sich hin

dampfte. Auch aus den Kleidern der Mutter stieg ein weißer Dunst auf. Der Zug ruckelte endlich an und verschwand im Tunnel. Kein Licht, nur sekundenschnell der Widerschein seltener Lampen draußen. Als sie auf der andern Seite herauskam, schien die Sonne so hell, so blendend, daß die Mutter meinte, ihre Augen stünden in Flammen. Sie kletterte auf den Bahnsteig, eine Wolke, eine blinde Wolke. Sie sah zwar nichts, aber sie fühlte die Sonnenglut auf ihrer Haut, sie atmete eine neue Luft, und sie hörte eine Stimme, die, irgendwo in dem hellen Strahlen, ihren Namen rief. »Clara!«, fistelig, als riefe ein tropischer Vogel. Durch den Lichtbrand hindurch erkannte sie nach und nach den zweiten Onkel, der, ein Gnom mit einer zu großen Joppe, hinter den Zollschranken auf und ab hüpfte. Sie stürzte in seine Arme. Der Onkel war so klein und schmächtig, daß sein Gesicht zwischen ihren Brüsten verschwand und seine Arme sie kaum umfassen konnten. Trotzdem preßte und quetschte er sie so, daß sie glaubte, alle Rippen gebrochen zu haben. »Ahi, zio! Piano, piano!« Der kleine Onkel ließ sie los, holte tief Atem – sein Schädel war tiefrot –, lachte, hob ihren Koffer hoch und ging, schräg gegen das Gewicht des Koffers gelehnt und über seine Schultern zurück redend, zu einem blitzneuen Fiat-Lastwagen, auf dessen Plane zwei Löwen gemalt waren, die auf ihren Hinterbeinen standen und eine Traube in ihren Pfoten hielten. Darunter stand in großen roten Lettern: Vini Molinari. »Finito i muli! Basta con questi carri!« Die Mutter setzte sich neben den Onkel, der das Steuerrad kaum umfassen konnte und auf einem Kissen saß, und sie rollten eine leere Straße hinunter, auf der einzig, unter einem Heiligenschein aus Dampf, der Priester einer Kirche zustrebte. – Der Onkel redete und redete. Lachte und redete, unablässig. Die Mutter verstand kein Wort und sagte ihm das auch. Aber der Onkel machte einfach nochmals die gleichen Geräusche wie eben, nur lauter. Er lachte auch ein zweites Mal, dröhnend nun. So ließ ihn die Mutter plaudern und schaute zum Fenster hinaus. Sie fuhren – der Onkel freute sich ganz allein über seine Witze – zwischen Pappeln und Obsthainen und immer engeren Felswänden rechts und links und hielten nach wenigen Minuten schon vor dem Steinhaufenhaus, das so sehr den Gesteinsbrocken ringsum glich, daß die Mutter seine Tür nicht sah, bis der kleine Onkel sie aufstieß. Das also war Ultimos Ursprung. Gerümpel, Flaschen, Harasse, kaputte Fässer, Hacken, Blecheimer, Spinnweben, auf die die Mutter, am Eingang stehend, einen ratlosen Blick warf. Kein Licht, eine dumpfe Luft. Es blieb kein Fußbreit Platz, hineinzugehen, so daß die Mutter sich bald wieder dem Onkel zuwandte, der tatsächlich still und bewegungslos hinter ihr gestanden hatte. Sofort allerdings legte er wieder los, zerrte sie zu einem kleinen, efeuüberwucherten Hügel unter einem Kastanienbaum und erzählte dazu eine Geschichte, deren Komik ihn gackern ließ. Es war das Grab des Negers, soviel verstand sie. Was daran allerdings so komisch war, entging ihr, obwohl der Onkel die Pointe dreimal wiederholte, am Schluß schreiend. Daß der Neger liebend gestorben war, zeugend im Tod: wer wünschte sich nicht so ein Schicksal? – Neben dem Grab lag ein zweites: bei dem tat der Onkel so, als sähe er es nicht. – Das Steinhaufenhaus war offenkundig nicht das Ziel ihrer Fahrt – die Mutter hatte geglaubt, der ganze Clan lebe nach wie vor darin –, nein, der kleine Onkel wendete den Laster, und sie fuhren den gleichen Weg wieder zurück, bergab zuerst und dann in die Ebene hinein, fuhren und fuhren, weiter und weiter, zwischen Hügeln endlich, auf denen Kirchen und Kastelle standen, in der Tat einen großen Teil des Wegs, den der Neger einst zu Fuß zurückgelegt hatte, wenn auch in der Gegenrichtung. Die gleichen Dörfer, in denen noch immer Hunde bellten! Die Maisfelder, ähnliche, durch die der Todgeweihte gebrochen war! Die Rebberge! Sogar Ochsenkarren gab es noch hie und da! Es war eine echte Wallfahrt. – Nach etwa zwei Stunden, während denen der Onkel keine Sekunde lang geschwiegen hatte, bogen sie so jäh von der Landstraße ab, so überraschend, daß die Mutter aufschrie vor Schreck, weil sie dachte, daß sie in ein undurchdringbares Dickicht aus Brombeeren und Baumstämmen prallten. Aber da war doch eine Lücke, Karrenspuren zwischen dem Gestrüpp. Die Äste von Bäumen kratzten auf beiden Seiten an der Karosserie. Blätter auf der Windschutzscheibe, Lianen, so daß sie kaum etwas sahen. Aber dann schoben sie sich durch ein Portal aus weißem Gestein, ein römisches Gemäuer voller Säulen, zwischen denen Büsche wucherten, und schwebten – der Motor war unhörbar geworden – zwischen Rosen, Hyazinthen, Rittersporn, Oleander, Bougainvilleen. Ein weiter blauer Himmel nun. Von Seerosen bedeckte Weiher. Libellen surrten, Schmetterlinge gaukelten. Vögel, überall sangen Vögel, Pirole sogar, und Stieglitze! Luft, eine Luft wie am ersten Tag der Schöpfung. Sie landeten vor einem großen Haus mit unzähligen Fenstern, einem Palast, einem Kloster aus alten Zeiten eher, denn ein Teil des Gebäudes war eine Kirche mit einem mächtigen Turm. Und schon stürzten aus allen Türen jene Ungeheuer mit den Kraushaaren, den Wulstlippen und jener Haut, die wie verbranntes Leder aussah: die Tante, der dritte Onkel, die Frauen der Onkel, die Vettern und Cousinen, die Kinder, die Kindeskinder, und auch all jene, die zum Begräbnis Ultimos gekommen waren, ohne zu wissen, ob sie mit ihm verwandt waren oder nicht. Auch sie warfen die Hüte in die Luft, genau wie das Gesinde, das sich noch mehr als die Herrschaft zu freuen schien und wilde Tänze tanzte. Die Mutter wurde gedrückt und geküßt, von allen mehrmals. Plötzlich aber – die Mutter stand, ganz wirbelig geworden, im Kies und hielt sich an ihrem Koffer fest – verstummten alle. Standen bewegungslos. Dröhnte eine Musik? Jedenfalls tat sich eine Gasse auf, und durch sie kam der große Onkel geschritten, mächtig, strahlend, wieder mit weit ausgebreiteten Armen. »Willkommen!«, auf deutsch! Er hob die Mutter hoch, ließ sie mitsamt ihrem Koffer über sich zappeln – jetzt lärmten alle wieder – und stellte sie erst wieder ab, als sie verzweifelt darum flehte. – Das war Glück! Oh, ja, das war herrlich! – Die Mutter ließ sich vom großen Onkel ins Haus ziehen, willenlos, willfährig, hingegeben. Sie kriegte ein Zimmer, das einmal eine Mönchszelle gewesen war. Kein Kreuz allerdings, nirgendwo. Dafür ein Bett, eine Waschkommode mit altem Porzellangeschirr, ein Schrank, ein Nachttisch, auf dem eine Kerze stand. Vor dem Fenster glühte der Himmel, aus dem gerade eben die Sonne in ferne Rebberge wegsank. Schwalben flogen. Grillen sägten. Eine Katze ging zwischen dem Oleander, in flammendes Licht getaucht. – Später saßen alle, gewiß zwanzig Männer und Frauen, an einem langen Tisch in der Küche, in einem großen Gewölbe voller Töpfe und Pfannen. Öllichter beleuchteten die Gesichter, in denen Augen und Zähne weiß blitzten. Ihre Familie! Die Mutter saß natürlich neben dem großen Onkel, der immer erneut ihren Teller füllte, als sei sie am Verhungern. Auf ihrer andern Seite saß die Frau des großen Onkels. Sie war, wie er, riesig, aber schlank, hager fast. Sie war ganz in Schwarz gekleidet, obwohl alle noch am Leben waren, und hatte, wenn sie sprach, jenes seltsame kratzende R, *quella erre lombarda,* das sogar Könige aus ferneren Regionen demütig werden läßt, weil es ihnen sagt, was alles ihnen an Macht und Kultur noch fehlt. Gegenüber saß der dritte Onkel, der etwas von einem Karpfen hatte, weil er unablässig den Mund öffnete und schloß. Die Tante und die Frauen der beiden kleinen Onkel kochten. Feuer loderte auf, wenn sie die Herdklappen öffneten oder mit einem Metallhaken einen Pfannenring weghoben. An den Wänden bewegten sich riesenhaft ihre Schatten. Das Essen schmeckte wunderbar, und köstlich war auch der Wein, den der große Onkel aus bauchigen Flaschen ohne ein Etikett einschenkte. Alle redeten und lachten, auch die Mutter. – Viel später, gegen Mitternacht schon, ging die Tür auf, und ein junger Mann kam hereingestürmt. Er war braungebrannt und hatte einen Eispickel in der einen Hand, in der andern einen Strauß Alpenrosen. Ein allgemeines Hallo, Gelächter, Rufe. »Boris!« rief der große Onkel und sprang so heftig auf, daß sein Stuhl umstürzte. »Deine Mutter hat sich Sorgen gemacht!« – Boris war sein Sohn. Er hatte an diesem Tag die Cima bianca auf einer neuen Route bestiegen. Während er einen Teller voll Polenta und Ragout vertilgte, berichtete er strahlend von seinen Abenteuern. Steinschläge, Eisrutsche, ein Wetterumschlag, als er mitten in der Wand war! Alle hingen an seinen Lippen. »Boris!« Das war seine Mutter. »Come sei bravo!« – Boris hieß Boris, weil der große Onkel einst eine Schwäche für alles Russische gehabt hatte. Vielleicht wegen des edelmütigen Zaren Nikolaus, eher wohl aber, weil er eine just vor den Schergen des letzten Herrschers aller Reußen geflohene junge Frau gekannt hatte, die im Hotel Victoria in der Küche arbeitete und aus St. Petersburg stammte. – Boris war ein *beau ténébreux* und tauchte seine Augen sofort in die der Mutter. Sie schaute zurück. Er schenkte ihr die Alpenrosen und versprach ihr, sie bald auf die Cima bianca mitzunehmen. Die Normalroute, sagte er und lächelte. So was bestiegen sie beide vor dem Frühstück. – Tief in der Nacht tastete sich die Mutter mit ihrer Kerze in der Hand in die Mönchszelle, wo sie im Bett versank wie in einem Traum.

DER große Onkel sprach, als einziger, mit einer leisen Stimme. Aber jeder hörte auf das, was er sagte. Er war das Gesetz. Seine Brüder, die kleinen Onkel, schienen froh, keine Entscheidungen fällen zu müssen. Sie grinsten vor sich hin, taten dies, taten das, taten nichts. Jedenfalls nicht das, was der große Onkel tat, der um sechs Uhr früh in die Reben ging und um zehn Uhr nachts immer noch über den Rechnungsbüchern saß. Er kannte alle Einnahmen, alle Ausgaben, alle Außenstände auswendig, jederzeit. Bevor er zu Bett ging, schrieb er, als letztes, die Arbeitspläne für den nächsten Tag – Rebberg, Lager, Keller – und hängte sie ans Schwarze Brett. Er schaute nach allem, ob die Scheune abgeschlossen oder ob der Rebberglift geölt war. – Die Frauen herrschten auf ihre Weise. – Er lachte durchaus hie und da, scherzte mit den Arbeitern, aber er ertrug es nicht, daß andere – die kleinen Onkel besonders – kürzere Arbeitszeiten bevorzugten. »Hunderttausend Lire feste Kosten«, sagte er mehr als einmal zu den beiden Onkeln. »Meint ihr, die kommen von selber in die Kasse?« Die ausgeschimpften Onkel nickten und verdrückten sich in die Küche, wo sie sich einen Grappa genehmigten. – Vor dem Haus standen jetzt Automobile, keine Maultiere mehr. Der Laster natürlich, dann ein Skoda, der für alles und jedes herhalten mußte – auch einmal ein Schwein auf dem Rücksitz transportierte –, und ein olivgrüner Jaguar mit einem Dreiklanghorn, den allein der große Onkel benützte. Er war rechtsgesteuert, weil er aus England kam. Er war der einzige Jaguar in ganz Italien. Sein Motor surrte kaum hörbar, und der große Onkel steuerte ihn im Stil seines Herkunftslandes. – Jahr um Jahr hatte er seinen Vater begleitet, den Säumer, wenn der seine Maultiere über den Paß trieb. Der Vater an der Spitze des Trecks, hinter dem vordersten Zugtier, er am Schluß. Im Sommer mit einer Zunge, die am Gaumen klebte, im Winter gegen den Eisschnee geduckt, der ihm ins Gesicht raste. (Die kleinen Onkel hatten aufgegeben und blieben zu Hause.) Auch zu zweit brachten sie an guten Tagen ein Dutzend Maultiere über den Berg, eine Warenmenge von drei Tonnen und mehr pro Gang. Wein hauptsächlich, aber auch Früchte, Olivenöl oder – sie brachten allerdings keinen großen Gewinn – Trüffel aus Alba. Sie wurden nach einem Berechnungsschlüssel bezahlt, der nirgendwo verbrieft, aber allen vertraut war und das Bruttogewicht, die Streckenlänge und das Wetter berücksichtigte. Als der Simplontunnel eröffnet wurde, 1905, gab es von einem Tag auf den andern nichts mehr zu transportieren. Die Weinfässer fuhren jetzt in zehn Minuten durch den Berg. Alle Säumerbetriebe des Tals gaben auf, alle bis auf den des Vaters des Vaters der Mutter. Jeden Morgen brach er auf, als sei nichts geschehen. Immer begleitete ihn der große Onkel. Er sah, anders als der Säumer, daß mit jedem Tag weniger Tiere vor ihm gingen. Bald waren sie mit einem einzigen Maultier unterwegs, einem letzten Schlitten, ohne Ware. (Hie und da gab es ein paar Milchkannen oder ein Faß Wein fürs Hospiz.) Der große Onkel, Fuß vor Fuß setzend, starrte in den Rücken des Säumers und rechnete. Rechnete hin, rechnete her. Wog Aufwand und Ertrag, immer neu. Aber jedesmal kam ein Verlust heraus, immer. Also ging er – sie waren kurz vor der Paßhöhe, und ein Sturm trieb ihnen Schnee ins Gesicht – nach vorn und schrie seinem Vater das Ergebnis seiner Kalkulationen in die Ohren. Nämlich, daß es billiger war, zu Hause zu bleiben. Der Säumer, ohne innezuhalten, ohne sich umzudrehen, rief in den Wind hinein: »Mein Vater ist hinter Gnus und Büffeln hergelaufen, bis sie tot waren. Ich gehe hinter den Maultieren drein, bis ich tot bin.« – Schweigend gingen sie bis nach Brig. – Auf dem Rückweg, an derselben Stelle beinah, wandte sich der Säumer zu seinem Sohn um, sah ihn an und stürzte tot in den Schnee. – Er wurde neben dem Neger begraben, und ihre

Grabhügel glichen sich bald so sehr, daß niemand mehr sagen konnte, wer wo lag. – Hinter dem Brennholz fand der große Onkel eine Zigarrenkiste voller Geldscheine. Lire und Schweizer Franken, große und kleine Scheine, Münzen, alles durcheinander. Auch ein paar Reichsmarknoten und einen schwedischen Zehn-Öre-Schein. Nicht wenig, nein, viel Geld. Der große Onkel steckte das Erbe in die Hosentaschen und kaufte ein Weingut im Piemont, ziemlich genau zwischen Alba und Asti. Fünf Hektar, vielleicht sechs, mit überalterten Reben, zwischen denen Unkraut wucherte. Eine Jahresproduktion von kaum zehntausend Flaschen, deren Inhalt bei den Einheimischen als untrinkbar galt und sogar im Norden nur schwer zu verkaufen war. Das Gut hieß I Cani, ausgerechnet!, und hatte zwei Hunde im Wappen, die auf ihren Hinterpfoten standen und eine Traube zwischen sich hielten. Das Haus war einmal ein Kloster gewesen, dem heiligen Domenicus geweiht. Der beste Wein des Guts – kein guter Wein, auch er nicht – hieß zu seinen Ehren San Domenico. Aber für den großen Onkel – und für alle andern – ehrte dieser Name natürlich den Säumer. Als erstes malte der Onkel das Wappen des Guts um und machte aus den beiden Hunden Löwen. I Cani hieß nun I Leoni. Die Götter der Feinde des Negers waren seine Feinde geblieben, und von den Löwen erhoffte er sich Schutz. Er pflanzte neue Reben, erprobte unbekannte Sorten, riß alles Unkraut aus und spritzte so viel Kupfervitriol, daß sein Besitz blau leuchtete wie kein anderer. Er verbrachte Tage im Labor und verschnitt seine Weine, als erster im Piemont, wo das Panschen als Todsünde galt. Aber seine Weine wurden besser und besser, so daß er Land dazukaufen konnte und bald, mit zwölf Hektar, vierzigtausend Flaschen produzierte. Den Transport übernahmen nun andere. Aber noch immer hatte er viele Kunden auf der andern Seite der Alpen. In Brig und Sion trank man bald in jedem zweiten Restaurant seine Weine. Den San Domenico, der inzwischen wirklich gut geworden war, lieferte er bis nach Bern und Basel. I Leoni machte einen Umsatz, dessen Millionenhöhe die Mutter um so mehr beeindruckte, als der Onkel ihn in Lire nannte. Sie, die Mutter, ging, während die andern arbeiteten, mit einem Sonnenschirm in der Hand durch die Rebberge, zwischen den Blumen, unter den Feigenbäumen, im Schatten der Gewölbe. Saß in der Kirche, dachte dies oder das und stieg sogar einmal auf den Turm, von dem aus sie beinah bis zum Meer sah. Sie dachte, flüchtig, daß sie das gern täte, in den Rebbergen schuften und schwitzen, bis zur Besinnungslosigkeit. – Dann träumte sie vor sich hin. Tief unter ihr rollte der Jaguar heran. Der Onkel stieg aus, klein. Sie rief, aber der Onkel hob den Kopf nicht. Ging mit schnellen Schritten ins Haus. Sie schloß die Augen, ihr war schwindlig. – Sie fand das Leben schön, ja, eigentlich nur dann nicht, wenn ihre Art sie überwältigte.

IHRE ART. Dieses Rätsel, das in ihr wohnte, auch ihr selber fremd. Ihre Art war nämlich inzwischen, daß – aber wann? Und warum? – alles in ihr heiß wurde, der Kopf, das Herz, der Bauch. Eine jähe Glutüberschwemmung, als brächen auf einen Schlag alle Schutzmauern in ihr zusammen, die Schotten, hinter denen schon längst eine Todeslava gebrodelt hatte. Sie klammerte sich dann, während die Hitze sie überflutete, an Stuhllehnen oder Tischkanten fest, um nicht fortgeschwemmt zu werden. Um im Leben zu bleiben. Ihre Hände, obwohl auch sie brannten, wurden weiß vor Anstrengung. Um sich zu retten, biß sie sich auf die Lippen und gab sich Schläge an den Schädel. Nach einer Zeit – Minuten? Stunden? – vergurgelte das glühende Entsetzen wieder tief in ihr. Sie kühlte ab, atmete ruhiger oder überhaupt wieder. Ihr Herz begann erneut zu schlagen. Sie wusch sich das Gesicht. Dann sah sie sich um. Sie war immer noch in ihrer Zelle. Da war der Tisch mit dem blauen Wachstuch darauf. Die Waschschüssel. Der Zahnputzbecher. Ihr Koffer in der Ecke. Der Nachttisch mit der Kerze. Das Bett. Der Schrank, dessen Ockerfarbe abblätterte. Ein Kalenderblatt, das einen Hirten mit einem Hund zeigte. – Zitternd noch tastete die Mutter sich die Treppen hinunter, vors Haus, wo die Vettern Boccia spielten. Laut sprachen, laut lachten, ihr einen Gruß zuwinkten. Sie versuchte ein Lächeln. Die Sonne schien. In ihrem Rücken knallte eine Bocciakugel auf eine andere, und die Vettern johlten.

Als sie dann in der Stadt zurück war, schlief sie erneut mit Edwin. Er liebte jetzt anders als in Paris. Er gab Befehle. Er tauchte unerwartet in dem Zimmer auf, das eben noch seines gewesen war und in dem nun die Mutter wohnte. Da stand er dann, lächelte, drückte seine Zigarette auf dem Nachttisch aus und herrschte die Mutter aufs Bett. Er wußte nun, wie er lieben wollte, und die Mutter liebte ihn so, wie er es wollte. Sie genoß es aber, es war nicht so, daß sie seine strenge Kraft nicht gemocht hätte. Selten blieb er lange, nie eigentlich. Er zog die Hose an und ging, mit schmalen Lippen, grußlos. Die Mutter stand dann etwas verwirrt in ihrer kleinen Höhle und schaute aufs Bett, das Milch- oder Wermutglas, dessen Inhalt Edwin, bevor er den Gürtel öffnete, in einem Zug hinuntergekippt hatte. Sie ging ins Bad, wusch sich über dem Bidet, sah sich im Spiegel an, versuchte ein Lächeln, schlüpfte endlich in ihren Rock, in die Strümpfe, in die Schuhe. Sie rauchte auch eine Zigarette und sah zum Fenster hinaus, auf einen Hof, in dem Kinder spielten. – In Edwins neuer Wohnung am Fluß war die Mutter nie. Kein einziges Mal. Er kam immer zu ihr. – Sie arbeitete wie zuvor fürs Junge Orchester, dessen Abonnement inzwischen so begehrt war, daß die Dauergäste alle Stühle im Historischen Museum belegten. Edwin und die Mutter beschlossen, die Generalprobe öffentlich zu machen, mit verbilligten Preisen; und auch da war der Saal fast sofort voll. – Es kam inzwischen so viel Geld in die Kasse, daß Edwin der Mutter einen Lohn zahlen konnte. Nicht viel, aber für das Zimmer und die Bedürfnisse des Alltags reichte es. Auch die Solisten kriegten nun so etwas wie eine Gage, und die Komponisten eine Art Auftragshonorar. Die Orchestermusiker allerdings spielten nach wie vor ohne Geld – das Begeisterungsglück war ihr Lohn –, und auch Edwin dirigierte gratis. Sein Geld verdiente er – er war inzwischen sechsundzwanzig Jahre alt und in der Branche kein Unbekannter mehr –, indem er in Winterthur, in Genf, in München auftrat. In Bordeaux hatte er vier feste Engagements pro Jahr, mit dem Orchestre Symphonique, wo er sich durchaus auch Beethovens und Mendelssohns annahm. Einmal sprang er sogar an der Stuttgarter Oper ein. Pelléas et Mélisande. Niemand hatte eine Ahnung, wieso und woher er die Partitur so gut kannte, daß er, nach dem telefonischen Hilfeschrei, einfach in den Zug steigen und drei Stunden später im Orchestergraben stehen konnte. Am Ende, als er sich auf der Bühne verbeugte, klatschten sogar die Solisten. Nur er schaute düster. – Er hatte jetzt einen Freund, der Werner hieß und von Edwin – und dann auch von der Mutter – Wern genannt wurde. Wern sah wie eine Kugel aus, eine Kugel mit einem roten Kopf, in dem fast immer eine Zigarre steckte. Oft lutschte er die Zigarre nur, lutschte sie so weich, daß sie auseinanderfiel, wenn er sie dann doch noch anzünden wollte. Er war Chemiker und hatte eine Substanz entwickelt, die Blattläuse vernichtete, ohne daß die Wirtspflanze mit ihnen starb. Seine Erfindung war so erfolgreich, daß seine Arbeitgeberin – die Chemie Schlieren – ihren Umsatz in wenigen Monaten verdoppelte. Er verbrachte immer weniger Zeit im Labor und reiste immer mehr: nach Italien zuerst, später nach Spanien, einmal sogar nach Marokko. Überall demonstrierte er sein Wundermittel. Oft war er für Wochen unterwegs. Aber wenn er da war, waren er und Edwin unzertrennlich. Sie saßen dann im Baobab, einem rauchigen Lokal am Fluß, und redeten. Tranken und rauchten, das heißt, Wern trank und rauchte. Edwin blieb nüchtern und wurde doch immer trunkener. Die Mutter kam auch zuweilen und setzte sich neben Edwin, der sie kaum wahrnahm. Aber da saß sie, seine Geliebte eben doch, trank, rauchte und schwieg. Sah Edwin ernst an und lächelte, wenn Wern lachte. Hie und da sagte sie auch etwas, aber Edwin und auch Wern hörten keine Frauenstimmen. Diese hohen Frequenzen, deren Schwingungen ihnen sagten, daß etwas Nebensächliches geäußert wurde. Wieso sollten sie sich dem zuwenden? – Dabei hatte die Mutter etwas Wichtiges zu sagen, und als Wern einmal aufs Klo ging, sagte sie es. Nämlich, sie war schwanger. Sie wollte sich freuen und wußte nicht, ob sie es durfte. Ob Edwin, der Vater, sich auch freuen könnte. Tatsächlich versteinerte Edwin – freute sich ganz und gar nicht –, als er endlich verstand, was die Mutter da sagte. »Schwanger?« zischte er. »Seit wann?« Er nahm Werns Glas und trank es leer. – Auch Wern, der vom Klo zurückgekommen war und vor dem es keine Geheimnisse gab, teilte die Ansicht Edwins, daß ein Kind in dieser Welt, hier und heute, ein Unglück sei. Es würde das Leben der Mutter zerstören, und das Edwins sowieso. Sogar die Cellistin, die zufällig zur Runde stieß – Edwin mit zusammengebissenen Kiefern, Wern mit rotem Kopf, die Mutter auf ihre Knie starrend –, legte einen Arm um die Schultern der Mutter und sagte: »Behalt es nicht, Clara. Es ist besser so, glaub mir.« – So ging die Mutter, ein paar Tage später und von der Cellistin begleitet, zu einem Arzt am Rosenhain, direkt am See. Edwin hatte das Treffen eingefädelt. Es war Abend, nach sieben Uhr. Der Arzt war allein. Keine Praxishilfe. Er war sehr höflich, sehr korrekt und bat die Mutter auf den Untersuchungsstuhl. Die Cellistin hielt die Hand der Mutter. Danach fuhren beide nach Hause, in jenes Zimmer, das früher Edwin gehört hatte und in dem das gerade eben getötete Kind gezeugt worden war. Die Cellistin half der

Mutter ins Bett, küßte sie und sagte, sie solle sie anrufen, wenn etwas sei. Auch mitten in der Nacht. »Versprochen?« Die Mutter nickte, obwohl sie kein Telefon besaß. Sie starrte ein, zwei Stunden lang zur Decke hoch und schlief dann ein. – Wern verstand viel von Musik, in manchen Bereichen mehr als Edwin. (Er war Autodidakt und hatte das absolute Gehör.) Er war verrückt nach Volksmusik. Nicht unbedingt nach der einheimischen, obwohl ihn in Suppenschüsseln rotierende Fünffrankenstücke oder Alphörner durchaus interessierten. Nein, er war eher auf Fernes aus, auf Spanisches, Arabisches oder Balkanisches. Eine bulgarische Frauenstimme konnte ihn in den Wahnsinn treiben. Er kam oft zu den Proben, er war der einzige Außenstehende, der das durfte. Danach fragte Edwin seinen Freund, wie *er* den Anfang des Adagios nehmen würde. Langsamer, noch langsamer? Edwin, der nie jemanden um Rat fragte! – Aber sie sprachen nicht nur über Musik. Immer häufiger war es das Elend der Massen, das sie beschäftigte, und daß die Diktatur des Proletariats das einzig mögliche Mittel sei, das allgemeine Unglück in Glück zu verwandeln. Es mag sein, daß Wern mit dem Thema angefangen hatte, aber Edwin war bald mindestens so eifrig bei der Sache. Oft redeten beide gleichzeitig, Edwin mit einem roten und Wern mit einem beinah schon blauen Kopf, mit so erhobenen Stimmen, daß die andern Gäste verstummten und ihnen zuhörten. Die Mutter – sie saß wieder am Tisch, als sei nichts gewesen – hörte, zum ersten Mal in ihrem Leben, die Namen Marx, Engels, Lenin, Trotzki. Stalin! Einmal oder jeden Abend erneut schrie Edwin seinen Freund an – als sei der schuld am Jammer der Unterdrückten –, daß nur die

Gleichheit aller den heutigen Zustand der Ungerechtigkeit beenden könne. Er stand jetzt, schnaubte und bohrte seinen Zeigefinger in Werns Brust. Ob er, Wern, sich denn im klaren sei – Wern nickte –, daß auch hier in diesem Land, in der sogenannt demokratischen Schweiz, keine fünf Prozent der Bevölkerung sechzig Prozent des Volksvermögens besäßen? Wern nickte wieder. Ob das richtig sei? Wern nickte weiter, schüttelte dann den Kopf. Ob er sich denn nicht erinnere – Edwin zog Wern zu sich hoch, und dem fiel die unangezündete Zigarre aus dem Mund –, wie während des Generalstreiks die herrschende Klasse durch gedungene Schergen der Milizarmee auf die für ihre Rechte kämpfenden Genossen habe schießen lassen? Daß es Tote gegeben habe, Tote!? – Er ließ Wern los, schnaubte erneut und setzte sich. Die Gäste im Lokal applaudierten. Wern lachte, klaubte die Zigarre auf und setzte sich auch wieder. Die Mutter war sitzen geblieben. – Oft gingen sie vor Wirtschaftsschluß noch ins Ticino, ein Lokal hinter dem Bahnhof, und tranken einen letzten Roten. Auch Edwin nahm jetzt einen Schluck. Manchmal sangen die Gäste, auch nicht mehr ganz nüchtern, alle zusammen die Internationale, stehend, Männer und Frauen, leuchtend, eine bessere Zukunft beschwörend. Diese Augen! – Auch die Mutter stand dann und sang. Hielt die Hände ihrer Nachbarn. Ihr Herz schlug. Sie dachte kaum mehr an das verschwundene Kind, nie eigentlich. – Der Wirt sang am lautesten.

EINIGE Zeit später kam Béla Bartók zum ersten Mal in die Stadt. Edwin, der in seinem allerersten Konzert die Suite op. 4 gespielt hatte und das Allegro barbaro für *das* Schlüsselstück der Epoche hielt, hatte ihm nach Budapest geschrieben, in der unbestimmten Hoffnung, irgendein neues Werk zu kriegen, eine Uraufführung am liebsten. Es kam, fast postwendend, nicht nur ein großartiges Werk – das zweite Klavierkonzert! –, sondern Béla Bartók selber, begleitet von seiner Frau. Er wollte sein Konzert selber spielen! Die Mutter war am Bahnhof, wie immer, aber diesmal war auch Edwin da, aufgeregt den Bahnsteig auf und ab tigernd. Endlich fuhr der Zug aus Budapest ein, mit kaum mehr als einer Stunde Verspätung. Ein gutes Dutzend verschlafener Passagiere stieg aus, mit Kofferbergen, auf die sich die Dienstmänner stürzten. Die Mutter und auch Edwin hatten einen Koloß erwartet, irgend jemanden von gigantischer Kraft und Macht. Aber Bartók war ein schmächtiges Männchen, das sie beinah übersehen hätten und nur deshalb nicht übersahen, weil seine Frau, eine energische Person, Edwin ansprach. »Ädwin?« Edwin, gegen seine Art, war so aus dem Häuschen, daß er stotterte und vergaß, die Mutter vorzustellen. So trottete sie hinter den dreien drein. – Sie hatte die Bartóks im Hotel Zum Schwert einquartiert, etwas, was sich das Junge Orchester noch für keinen Komponisten oder Solisten geleistet hatte. Ein wunderbares Zimmer mit einem riesigen Bett und Louis-quinze-Möbeln. Bartók aber hatte Kopfschmerzen und warf keinen Blick aus dem Fenster, auf den See und die in der Ferne gleißenden Alpengipfel. – Bei der ersten Probe zitterte Edwin zuerst ein bißchen – Bartók am Klavier, aufmerksam wie ein Schüler –, faßte sich aber schnell. Bartók spielte seinen Part, ohne ein Wort zu sagen. Nur einmal stand er plötzlich auf, stellte sich neben Edwin und sang zwei, drei Takte vor. Dazu dirigierte er mit beiden Händen. Danach spielte das Orchester die Stelle nochmals, und sie klang, als öffne sich der Himmel. – Im Konzert trug Bartók einen irgendwie altmodischen Frack. Er spielte wunderbar, und das Orchester war gut wie nie. Am Ende brach denn auch im vordern Teil des Saals ein ungeheurer Jubel los; aber der hintere Teil nahm den Fehdehandschuh auf und buhte und pfiff mit der gleichen Leidenschaft. Bartók verbeugte sich, verbeugte sich nochmals und nochmals und lachte. Auch Edwin lächelte ein paar Sekunden lang. Bartók schüttelte zuerst dem Kapellmeister und dann allen Musikern, deren er habhaft werden konnte, die Hände; einigen mehrmals. Verbeugte sich erneut, öffnete endlich die Arme, als wolle er seine Zuhörerinnen und Zuhörer umarmen. Blumen, die Mutter hatte auch an die Blumen gedacht! Sie strahlte, tiefrot im Gesicht, hinter dem Türchen stehend, durch das die Künstler auf die Bühne gingen. Es war ihr, als sei das ihr Sieg, ein bißchen *ihr* Sieg, dieses tollste Konzert in der Geschichte des Jungen Orchesters. (In der Ferne pfiffen sie immer noch auf ihren Hausschlüsseln.) Sie war durcheinander, berührt, erschüttert. – Bartók und seine Frau blieben länger als geplant, fast eine Woche schließlich. Es gefiel ihnen im Hotel Zum Schwert und in der Stadt, auch wenn Bartók schon am Morgen nach dem Konzert mit sich und seinem Werk weniger zufrieden war und Edwin sagte, er werde den Anfang des zweiten Satzes neu schreiben. Edwin protestierte erst, nickte dann. – Die Mutter hatte ausgerechnet, daß fürs nächste Konzert kein Geld mehr da wäre, wenn die Bartóks bis zum Sonntag blieben. Natürlich blieben sie bis zum Sonntag. Und die Mutter war es dann, die sie beschwor, auch den Montag und den Dienstag dranzuhängen. (Tatsächlich programmierte Edwin fürs nächste Konzert – ein Novum und ein großer Erfolg – Musik des Frühbarock. Palestrina, Gabrieli, Bassani, Rhau und Frescobaldi. Keine Solisten und keine Komponisten, die Tantiemen kriegen wollten.) – Die Mutter zeigte Béla und Ditta – die beiden sagten jetzt Clara zu ihr! – die Schönheiten der Stadt: das große Münster, das kleine Münster, die Schanzen, die Zunfthäuser. Bald allerdings war es Bartók, der *ihr* erklärte, was sie gemeinsam sahen. Wieso Karl der Große, der steinern in der Krypta des Großmünsters saß, einen so mächtigen Bart hatte (weil er einst mit Gottvater gleichgesetzt worden war), oder wie der verehrte Reformator starb, dessen Geburtshaus sie bestaunten (die Rechtgläubigen von damals vierteilten ihn erst und verbrannten ihn dann). – Edwin war wieder dabei, als Bartók und seine Frau in den Zug nach Budapest stiegen. Es war jetzt Mittwoch. Bartók gab Edwin die Hand und küßte Clara; seine Frau hielt es umgekehrt. Edwin und die Mutter winkten, bis sie die Taschentücher der Bartóks fern im Qualm der Lokomotive nicht mehr erkennen konnten. Ein ferner Pfiff noch, dann nichts mehr. Edwin ging so sehr in Gedanken versunken neben der Mutter, daß er ihr nicht adieu sagte, als er in die Gasse einbog, in der er wohnte. Die Mutter ging geradeaus. Bartók, sie liebte seine Musik. Tagelang noch hörte sie in sich jene Stelle, wo das Klavier über den Streichern singt, als wolle es fliegen lernen.

Es war dann nicht Edwin, sondern Wern, der die Mutter fragte, ob sie ihn auf eine Reise nach Frankfurt begleite. Er wolle nicht allein reisen, in Deutschland, jetzt in diesen Zeiten. Er könne sie auf Spesen nehmen, ohne Probleme. Die Mutter zögerte erst, hatte dann große Lust und fragte endlich Edwin. Der nickte ohne hinzuhören, war mit anderem beschäftigt. »Fahr nur, fahr.« Sie fuhren also nach Frankfurt, wo sie im Frankfurter Hof wohnten. »Gute Produkte«, sagte Wern, als die Mutter in der Empfangshalle herumstaunte, »brauchen ein gutes Hotel, wenn du sie gut verkaufen willst.« Sie kriegten zwei Zimmer nebeneinander, mit einer Verbindungstür, die sie nie benutzten. Wern ging seinen Geschäften nach (er wollte einen Lizenzvertrag mit den Chemischen Werken in Höchst aushandeln), und die Mutter wanderte durch die Stadt. Die Sonne schien. Ein lauer Wind wehte. Platanen, in denen Vögel zwitscherten, spendeten Schatten. Autos, Pferde auch noch ein paar. Die Menschen sahen fröhlich aus, Kinder, die vor Freude kreischend aufeinander einschlugen. Liebespaare. Hie und da Männer in braunen Uniformen und roten Armbinden, und überall Fahnen. Sie flatterten in einem Wind, der jetzt schöner blies. Eine weite Allee, überall die knatternden Tücher, das sah lustig aus. Einmal knallte ein Trupp Polizisten oder Schutzmänner im Gleichschritt vorbei. Ein Mann, der neben ihr stand, riß seinen Arm in die Höhe und brüllte etwas, was sie nicht verstand. Auch andere riefen, es klang wie Bellen, das gefiel ihr nicht so gut. Aber sonst! Sie fühlte sich leicht. Weiter weg, später, ein Tumult. Glas klirrte, und Menschen rannten. Eine Frau, unsichtbar, schrie. Die Mutter stand just neben einem Schutzpolizisten, der einen Schäferhund an der Leine hatte und den Ort des Unglücks beobachtete. Sie sah ihn fragend an. Er aber hatte keinen Grund zum Einschreiten, offenkundig, und so ging die Mutter weiter. Sie mochte die Stadt, besonders die unzähligen winkligen Gassen um den Dom herum. Die Läden, die Handwerksbuden. Sie sah einen Schuhmacher mit einem so langen Bart, daß der ihm immer wieder zwischen seinen Hammer und die Stiefelsohle geriet, auf die er einklopfte. Ein Goldschmied beugte sich, eine Lupe auf einem Auge, über einen Ring. Ein Barbier mit einer runden Nickelbrille seifte seinen Kunden in einer so kleinen Bude ein, daß er selber auf der Gasse draußen stand. Gemüsehändler, Töpfer, Trödler. Und immer wieder Alte in schwarzen Röcken, mit schwarzen Hüten, langen Bärten und Zöpfen. Sie redeten mit den Händen, tatsächlich! – Die Mutter wandte sich ab, um ihnen nicht zu zeigen, wie sehr sie lachen mußte. – Sie stand auf dem Römer und bewunderte die Prunkhäuser aus dem Mittelalter. Am Mainufer trank sie einen Apfelwein und ging dann über den Eisernen Steg – unter ihr Vergnügungsboote, aus denen Familien winkten – zum Museum, in dem sie lange auf ein Paradiesgärtlein schaute. Als ob es sie nicht loslassen wollte. Aber auch ein nackter Adam und eine nackte Eva gefielen ihr. Ein hauchzarter Schleier über der Blöße der Frau, durchsichtig, wunderbar. – Ihr fiel jener Student aus Frankfurt ein, der sie einst geküßt hatte und mit dem sie geschwommen war, er ganz unbekleidet, sie in ihrem Unterrock, der sie auch nicht besser verbarg als Cranachs Schleier die Eva. Sie war nicht mehr sicher, wie er hieß. Irgend ein Jagdwild. Als ihr der Name einfiel, Hirsch, lachte sie laut auf. Hirsch, genau, Sami Hirsch. Der Mann an der Rezeption half ihr, die Telefonnummer zu finden. Sami Hirsch freute sich und lud sie zu einem Glas Wein ein. – Am Abend war Wern nachdenklich, bedrückt sogar. Gingen die Geschäfte schlecht? Wern schüttelte den Kopf. Sie saßen im fast leeren Speisesaal des Hotels und aßen Siedfleisch mit Wirsing. Danach rote Grütze, eine Süßspeise, die besser schmeckte, als ihr Name vermuten ließ. Der Wein war allerdings wie Zuckerwasser. – Die Mutter bat Wern, zu Sami mitzukommen, der nicht der Richtige gewesen war, es aber hatte sein wollen. Sie gingen zu Fuß, ihr Ziel, die Bockenheimer Landstraße, begann gleich hinter der Oper. Eine unbeleuchtete Villa in einem stockdunklen Garten, der – mitten in der Stadt – so groß wie ein Park war. Sie tasteten sich über einen Kiesweg, fanden endlich eine Glocke und klingelten. Die Tür ging fast sofort auf, kein Licht noch immer, und eine verhuschte Frau mit einer Kerze in der Hand führte sie durch schummrige Korridore, rechts um eine Ecke, links ein paar Stufen hoch, hinauf und hinunter, kreuz und quer, bis in einen großen hohen Raum, in dem nun allerdings Licht brannte. Elektrisches Licht, in Lüstern verborgen. Vorhänge vor allen Fenstern, verrammelte Läden. Sami Hirsch, mit einem kleinen Schnurrbart nun, kam auf die Mutter zu, gab ihr die Hand. Begrüßte Wern. Dann stellte er ihnen seine Mutter vor, seinen Vater, zwei zarte Alte, die fein lächelten. Sie setzten sich, tranken Wein, einen sehr guten diesmal. Ja, Sami ging es gut, er war gesund. Er hatte seinen Auslandsaufenthalt in bester Erinnerung. Das Tanzen! Als sie zusammen schwammen, ob sie sich erinnerte? – Die Mutter gluckste vor Vergnügen. Sie erzählte, wie schön ihr Nachmittag gewesen war, wie lustig. – Die Eltern lächelten, nippten an ihren Gläsern, sagten aber kein Wort. Der Raum war edel wie ein königliches Gemach, hatte ein Deckengemälde, aus dem flattrige Engel über Wolkenränder nach unten lachten, und sah dennoch ein bißchen wie eine Rumpelkammer aus. Wie ein Lager. Sie saßen zwar auf goldenen Stühlen um einen kostbaren Tisch herum, aber ringsum stapelten sich Sofas, Sessel, eine Récamière. Bilder, die meisten mit der Rückseite nach vorn, aber auch eine großformatige Leda, der der Schwan zwischen die Beine züngelte. »Zieht ihr um?« fragte die Mutter ihren Freund. »Ich, heute noch«, sagte er. »Aber meine Eltern wollen nicht.« Die Frau öffnete zum ersten Mal den Mund. »Alte Bäume verpflanzt man nicht«, sagte sie mit einer so feinen Stimme, daß die Mutter sich vorbeugte. »Die gehen ein.« Sie legte eine Hand auf den Arm ihres Mannes, der zitterte. Die Mutter sah zwischen ihnen und Sami hin und her. Der lächelte jetzt nicht mehr. Er hatte einen roten Kopf. Auch Wern schien erregt, öffnete den Mund und schloß ihn wieder. Die Mutter verstand nicht ganz; wurde auch ernst, trank einen Schluck. Sie brachen bald auf, gingen wortlos durchs schwarze Frankfurt ins Hotel zurück. – Im Zug, auf der Heimfahrt, fand die Mutter ihre Leichtigkeit wieder. Jenes Frohe, das sie in sich bewahren wollte, so lange es nur ging. So war sie mehr als überrascht, als Wern – sie fuhren in Basel über die Rheinbrücke – aufsprang und rief: »Zum Kotzen! Zum Kotzen ist das!« »Was?« sagte die Mutter. »Wir hatten doch eine schöne Reise?«

Wern setzte sich wieder. »Schluß«, sagte er, viel leiser, eher zu sich selber. »Aus.«

Die Mutter sah ihn mit großen Augen an. Ja. Aus. Schluß. Aber die Reise war doch schön gewesen, das sagte sie dann auch Edwin.

DANN heiratete Edwin. Alle schienen von seiner Hochzeit gewußt zu haben, jede und jeder, seit Wochen. Für die Mutter, die beiläufig und Tage danach von dem herrlichen Fest hörte – »Wo hast *du* denn gesteckt? Es war *großartig*!« –, war es, als habe der Blitz in sie eingeschlagen. Sie saß starr und blind auf einem Stuhl, versteinert in einer Welt, die sich um sie drehte, ohne Atem vielleicht, ohne Tränen gewiß. Schreie in ihr drin, Glut und Eis. Edwins Frau war die Alleinerbin der Maschinenfabrik. Ihr Vater, Besitzer des Unternehmens in der dritten Generation, war an einem Schlaganfall gestorben, und Edwin war ihr tröstend beigesprungen. Sie war eine Schönheit. Sie floß wie ein Gewässer aus Gold und Silber aus ihrem Auto, einem Maybach mit Weißwandreifen. Ein makelloses Gesicht mit großen Lippen, blinkenden Zähnen, Mandelaugen. Große Hüte im Sommer. Im Winter Pelze. Edwin zog in jenes Gut über dem See, wo er nun zwischen alten und neuen Meistern residierte. Seine Frau liebte Bilder – Vermeer war ihr Liebling, und sie hatte tatsächlich einen – und sammelte mit kühner Klugheit zeitgenössische Maler. Sie besaß mehr Picassos und Matisses als alle Schweizer Museen zusammen, und erst noch die besten. Aber auch einheimische Meister: Gubler, Auberjonois, Vallotton, Camenisch. –

Edwin, in all der Pracht, blühte auf. Er und seine Frau jagten sich lachend durch die Zimmerfluchten, bis sie sich ihm im Wintergarten ergab. Sie wälzten sich zwischen Orchideen und warfen Palmen um. Die Dienstboten schlossen diskret die Augen. – Edwin hatte vorher kein Wort zur Mutter gesagt, irgendwie hatte sich die Gelegenheit nie ergeben. Und dann war es sowieso zu spät. Als sie bald einmal Geburtstag hatte, brachte ein Bote der Fleurop eine in eine große Schachtel verpackte Orchidee, ein Wunderwerk der Natur, mit einem Kärtchen, auf das Edwin mit violetter Tinte geschrieben hatte: »Alles Gute! E.« – Eine solche Orchidee, mit einer solchen Karte, sollte dann noch zweiunddreißig Jahre lang zu meiner Mutter kommen, immer an ihrem Geburtstag, immer eine Orchidee, immer violette Tinte. Dann – die Mutter war einundsechzig geworden – kam keine Orchidee mehr. Nie mehr, obwohl die Mutter dann noch einundzwanzig Jahre lang lebte und Edwin noch viel länger. Die Mutter fragte sich, wieso Edwins Gruß plötzlich ausblieb, fand aber keine Antwort. – Wenige Monate später heiratete auch sie. Sie kündigte ihre Arbeit – Edwin war in den Wochen zwischen seiner und ihrer Hochzeit nie mehr ins Büro gekommen, jedenfalls nicht, wenn sie da war – und zog in ein Haus am Stadtrand, mitten in Getreidefeldern, auch wenn ihr Haus gerade noch zur Stadt gehörte. Ein Wald jenseits der Wiesen. Sie hatte einen großen, verwilderten Garten, den sie mit der Besessenheit einer Pionierin rodete und mit Blumen bepflanzte. Mit Blumen, nur mit Blumen. Phlox, Rittersporn, Margeriten, Schwertlilien, Dahlien dann auch. Wie früher, zu Vaters Zeiten, bewirtete sie wieder Gäste. Sie kochte wie eine

Göttin, die Gäste waren begeistert von ihrer Kunst. Wie einst saß sie am Tisch und überwachte aus den Augenwinkeln die Essenden, ob es ihnen wohl erging, nur daß jetzt keine Dienstboten da waren, die heruntergefallenen Servietten aufzuheben. Sie mußte es selber tun, tat es auch mit steifer Grazie. Edwin und seine Frau wurden nie eingeladen; aber die Cellistin, die keine sechs Jahre später ermordet werden sollte, war immer dabei, und auch Wern. Er blieb später weg, die Mutter verstand nicht, wieso. Wahrscheinlich reiste er um die Welt. Die andern Gäste waren jetzt keine Musiker mehr, keine Künstler. Normale Menschen halt. Trotzdem kam es einmal (die deutschen Truppen waren eben ins Rheinland einmarschiert) zu einem sagenhaften Schaschlik-Essen, einer regelrechten Freßorgie, bei der die Gäste auf Wolldecken im Gras lagerten und ihre Bratspieße in Feuern drehten, die in langen Mulden brannten. Der Wein floß, ein voller Mond hinter den Bäumen, es wurde auch gesungen. Es war beinah wieder wie früher. – Einmal kam ein Brief von Edwin. Er war auf Büttenpapier geschrieben, mit violetter Tinte, und teilte der Mutter mit, Edwin freue sich, ihr mitteilen zu dürfen, daß sie zum Ehrenmitglied des Jungen Orchesters ernannt worden sei. Herzlich, E. (Das Orchester hatte später noch mehr Ehrenmitglieder. Alle waren Komponisten, die Edwin verbunden waren. Ihre Namen waren auf einer Marmortafel verzeichnet, die im Vestibül des Historischen Museums hing; später in der Stadthalle. Bartók, Honegger, Strawinsky, Martin, Hindemith. Und zuoberst der Name der Mutter. Sie zeigte es zwar nicht, aber sie genoß es durchaus, bei ihren Konzertbesuchen einen Blick auf die römischen

Lettern zu werfen, die ihren Ruhm verkündeten.) Die Ehrenmitgliedschaft war mit einem Gratisabonnement auf Lebenszeit verbunden. Die Mutter saß auf ihrem alten Platz in der zweiten Reihe, hinter Edwin.

DER Kult der Mutter um Edwin setzte nicht sofort ein, keineswegs. Sie wollte zufrieden sein, sie war es. Sie hatte ein Haus! Sie war eine Ehefrau! Sie wurde eine hervorragende Hausfrau, in ihrem Heim war kein Stäubchen am falschen Ort. Sie bügelte mit der Präzision einer Uhrmacherin, hatte ihre Bettwäsche hier und die Küchentücher da, die Äpfel auf den Hurden lagen alle mit den Stielen nach oben. Sie war auch einverstanden, daß die Arbeitsecke unaufgeräumt blieb, es störte sie, aber sie wußte, sie rief sich jeden Tag in Erinnerung, daß andere ein Recht hatten, anders zu sein. Spielzeuge, als es dann Spielzeuge gab, lagen allerdings keine herum, nie, Bauklötze auf dem Kinderzimmerboden, das hätte es nie gegeben. Immer war ein gutes Essen auf dem Tisch, sie hatte die Gabe, aus einer Cervelatwurst, ein paar Kartoffeln und einer Handvoll Schnittlauch ein Essen zu kochen, daß einem das Wasser im Mund zusammenlief. Kräuter, Gewürze, Saucen: darin war sie eine Meisterin. Sie hatte kein Auto mehr, aber bald ein Fahrrad, mit dem sie zum Einkaufen fuhr, mit einem Weidenkorb vorn am Lenker. Da fuhr sie dahin mit wehenden Röcken, etwas schwankend. Sie kannte keine Angst und fuhr viel zu schnell die steile Straße hinunter, an deren oberem Ende ihr Haus stand. Sie klingelte, wo andere bremsten. Mehr als einmal landete sie in Weizenfeldern und

Brennesseln. Sonst, wie gesagt, stand sie im Garten, in blauen Rauch gehüllt, weil immer ein Feuer brannte. Stets gab es ein altes Laub oder ein neues Holz, das vernichtet werden mußte. Sie stocherte mit einem Rechen in der Glut herum. Oft auch stand sie nur da, auf den Holzstiel gestützt, und starrte in die Flammen, und es mag sein, daß da, in der Hitze, im Rauch, in der hochwirbelnden Asche ihre Lippen sich zum ersten Mal zu bewegen begannen. Langsam zuerst, zögernd, ohne sofort zu wissen, was sie sagen wollten. Irgendwann aber hatten sie ihren Text gefunden, und der war: Edwin. Edwin, Edwin. Edwin. Jede Faser des Körpers der Mutter rief Edwin. Bald sangen alle Vögel Edwin, und die Wasser glucksten seinen Namen. Der Wind flüsterte ihn, die Sonne brannte ihn in ihre Haut. Edwin, Edwin aus allen Pflanzen, aus jedem Getier. Edwin! heulten ferne Hunde. Edwin prasselte der Regen. Edwin sang der Motor des Citroën der Firma Banga, der jeden Morgen bis zu diesem allerletzten Haus der Stadt fuhr, um einen armseligen Liter Milch zu verkaufen. Der Fahrer sagte irgend etwas zur Mutter, wohl kaum Edwin; sie aber wußte, was sie gehört hatte, und lächelte. Edwin, stets nur Edwin, und natürlich flüsterte sie die geliebten Silben auch, wenn sie Kartoffeln schälte oder im Bett ihrer Ehe auf Schlaf hoffte. Oft stand sie an einem Fenster, immer am gleichen, und sah in die Ferne, eine sonnenbraune Isolde mit wilden Haaren, die darauf wartete, daß ein weißes Segel aus dem Wald träte. Denn dort, hinter dem Bannwald, dort war der glückliche See, der Edwins Bild spiegeln durfte. – In einer Ecke des Schlafzimmers stand ein Tisch, ein harmloses Ecktischchen, von dem *sie* aber wußte, daß er ein Altar war. Oder war es umgekehrt, war ihr das als einziger nicht klar? Auf dem Tisch jedenfalls: zwei Kerzen, die nie brannten, die alten und auch die neuesten Programme des Jungen Orchesters, sorgsam übereinandergelegt, die im April und auch Anfang Mai noch frische, später verwelkte Orchidee, die Kärtchen mit der violetten Tinte und ein gerahmtes Foto, das alle Teilnehmer der legendären Gastspielreise nach Paris zeigte. Die Mutter war als einzige nicht auf dem Bild; jemand hatte ja das Foto machen müssen. In der Mitte der ersten Reihe strahlte Edwin, der je einen Arm um die Cellistin und eine blonde Harfenistin gelegt hatte. – Irgendwann fing sie damit an, Fußmärsche zu unternehmen, die sie stets zu diesem See führten, zu einem Kieselstrand, auf dem ein paar Boote lagen, die Kähne der Fischer. Gegenüber, auf der andern Seeseite, blinkten die Dächer von Edwins Gut. – Noch später unternahm sie ihre Märsche auch nachts, ging unterm Mond oder auch in mondlosen Nächten quer durch den Wald die vier oder fünf Kilometer zum See hinab, mit einem Stein in den Händen, den sie tagsüber im Garten ausgegraben hatte und der so schwer war, daß er ihr die Arme schier ausriß. So ging sie, immer zum See. Am Ufer hielt sie nicht inne, sondern watete gerade so weit ins Wasser hinein, daß ihre Beine ganz und der Bauch halbwegs naß wurden. Erst dann stand sie still, stand mit bebenden Knien, zitternden Lippen, trockenen Augen, Edwin betend, und starrte zum andern Ufer hin. Der Stein entglitt ihr, ohne daß sie es bemerkte. So verharrte sie. Endlich machte sie rechtsum kehrt – vielleicht weil ein Nachtvogel schrie, oder weil ein fernes Auto hupte –, stakste ans Ufer zurück und rannte nach Hause.

Atemlos, mit immer noch nassen Beinen, ohne das geringste Geräusch kroch sie ins gemeinsame Bett und lag mit offenen Augen starr auf dem Rücken. Wenn die Sonne aufging, stürzte sie in einen kurzen Schlaf und war wie erschlagen, wenn das Gebrüll des Tages sie nicht viel später weckte. – Wenn am Abend die Gäste kamen, war sie eine Schönheit. Sie empfing einen jeden mit vollendeter Herzlichkeit und redete viel, viel und laut. Manchmal hob sie ihre Röcke hoch, ohne Scham bis zu den Oberschenkeln, und zeigte die Wunden, die von ihren Fahrradstürzen herrührten. Verkrustetes Blut überall. Sie lachte dann so sehr, daß auch die Freundinnen und Freunde lachten.

NATÜRLICH sehnte sie sich weiterhin nach I Leoni; jetzt um so mehr. Wenige Wochen nach der Hochzeit schon brach sie auf, allein, mit ihrem stets gleichen Koffer. Diesmal allerdings fanden weder die Onkel noch Boris Zeit, sie am Bahnhof abzuholen (war sie denn niemand?), so daß sie den Weg über die Ebene und in die Rebhügel hinein zu Fuß gehen mußte. Fünf Kilometer, eher acht. Es war heiß. Fliegenschwärme umsurrten sie. Staubwolken, wenn ein Auto sie überholte. Eine brennende Sonne, nirgendwo Schatten. (War ihr Leben falsch?) Obwohl die Gräser und Büsche auch diesmal grün waren, die Blumen wieder blühten, die Eidechsen erneut auf den Mauersteinen huschten, die Libellen wie in alten Tagen flogen und sogar die Vögel zwitscherten wie eh und je, war die Mutter dennoch nicht *so* begeistert wie sonst, als sie endlich den steilen, schnurgeraden Zufahrtsweg zu I Leoni hochstieg. Sie war erschöpft, verschwitzt, und ihre Füße glühten so, daß sie die Schuhe auszog und die letzten paar hundert Meter barfuß ging. (Die Strafe für ihre Schuld?) Das Gut, gelb, strahlend, wuchtig, wuchs vor ihr in die Höhe. Die Kirche hatte einen neuen Anstrich bekommen, und die lustigen Gebüsche auf den Wasserspeiern und in den Glockenluken waren verschwunden. Ein fremder Lärm von der Terrasse her, die, so groß wie ein Kirchplatz, vor dem Haus lag, just so erhöht, daß die Mutter, näher kommend, nicht sah, was da los war. Sie stieg, stöhnend vor Schmerz, die Stufen der Treppe hinauf – breite Stufen, wie für ein Schloß – und ließ Koffer und Schuhe fallen. Sie stand und keuchte. Schaute. Überall wimmelten Menschen. Ein Schreien und Rufen, jeder schien dem andern einen Befehl zuzubrüllen, ohne sich um den, der ihn gerade erreichte, zu scheren. (Oh, ah, hier war sie! Sah sie denn niemand?) Ihr am nächsten waren drei Männer mit goldblinkenden Trompeten auf einem Holzpodest und übten, immer neu einsetzend, eine Fanfare, Jubelstöße, ein Töneschmettern jedenfalls, das ihnen nicht so stolz gelang, wie es gemeint war. Hinter ihnen stellten die Männer und Frauen vom Gesinde lange Holztische auf, einen neben den andern, breiteten weiße Tücher darüber und verteilten Teller, Gläser, Messer und Gabeln. Ein Mädchen streute Blumen aus einem großen Korb. Es trug eine Tracht mit Bändern und Stickereien, ja, alle waren verkleidet, alle Mägde und Knechte sahen aus, als kämen sie aus alten Zeiten. Wämser, Joppen, Brusttücher. Sie strotzten vor Sauberkeit. (Die Mutter fühlte sich dreckig.) Vier Männer stellten ein hausgroßes Weinfaß auf, keuchend, fluchend. Der kleinere der beiden kleinen Onkel rannte so nah an der Mutter vorbei, daß sie seinen Atem roch. (War sie unsichtbar?) Er trug ein schwarzes Hemd, der kleinste Onkel, eine rote Armbinde voller kantiger Symbole und bellte zwei Frauen an, die einen Triumphbogen aus Holzlatten – die Mutter stand direkt darunter – mit Glyziniendolden und Rosen schmückten. Sie kümmerten sich nicht um ihn, und der kleinste Onkel drehte zum Weinfaß ab. Dort stand inzwischen Boris, auch er kaum wiederzuerkennen. Er trug nicht nur ein schwarzes Hemd, er trug eine regelrechte Uniform, schwarz auch sie, und eine Reitgerte in der rechten Hand, eine kleine Peitsche, die er, wenn er eine Anordnung rief, durch die Luft zischen ließ. Auf ihn hörten die Knechte und Mägde schon eher, o ja, er strahlte eine große Kraft und einen deutlichen Willen aus. – Auch der kleinste Onkel spürte das und schlug eine neue Richtung ein, zur Küchenpforte hin diesmal. – Die Mutter winkte Boris, weil der zu ihr hinsah, aber er löste seinen Blick wieder aus ihrem und rückte einen Stuhl zurecht. (Sie *war* unsichtbar.) Dann stand er einfach nur da, die Hände in die Hüften gestützt und das Kinn so nach oben gereckt, daß seine gespitzten Lippen den Himmel küßten. Oh, Boris! – Abseits, längs der Terrassenbalustrade, ging der große Onkel auf und ab. Er war auch schwarz, zivil aber, in einem piekfeinen Anzug. Eine Krawatte! Er bewegte die Lippen, stieß hie und da eine Faust in die Luft und schielte auf ein Papier, das er in einer Hand hielt. Keine Frage, er übte. Auch er sah die Mutter nicht, obwohl sein leerer Blick immer wieder auf ihr ruhte. – Der dritte Onkel blieb verschwunden. Wahrscheinlich war er, eher blau als schwarz, in der Küche und beaufsichtigte die Grappaflasche. – Die Tante rauschte an der Mutter vorbei, den Blick auf ein Gebinde aus Ähren und grellblau bemalten Terrakotta-Trauben gerichtet, das auf der Terrassenbrüstung lag. »Reto, Renzo, rapido!«, mit jenen Rs, die jetzt noch mehr wie Natterngezisch klangen. Die Mutter lief ein paar Schritte hinter der Tante drein, hielt dann inne. (Als ob es sie nicht gäbe.) – Das Schreien und Rufen beruhigte sich erst, verklang, als die Tischtücher unter den Blumen verschwunden waren und die Gläser alle gleichermaßen im Sonnenlicht funkelten. Als die Stühle standen wie Gardesoldaten. Als am Triumphbogen kein Holz mehr zu sehen war. Als die Trompeter sich breitbeinig auf ihr Podest stellten, die Trompeten geschultert wie Waffen. Als der große Onkel aufseufzend sein Papier in eine Jackentasche steckte. Als der kleinste Onkel aus der Küche zurückkam, verklärt lächelnd und sich den Mund wischend. Als die Tante ihre Schürze abband und eine rostrote Seidenrobe sichtbar werden ließ. Als das Gesinde sich, über die ganze Terrasse verteilt, zu malerischen Gruppen aufstellte. Als Boris Koppel und Riemen seiner Uniform zurechtrückte und ein unsichtbares Stäubchen von einem Jackenärmel wegklopfte. Und als, vor allem, eine aufgeregte Stimme rief: »Sie kommen! Sie kommen!« Die Stimme gehörte dem dritten Onkel, der, nüchtern wie Jupiter, an einem Fenster im ersten Stock stand und in eine Ferne zeigte, die denen auf der Terrasse verborgen blieb. »Dort! Beim Säulentor jetzt!« Boris sog durch einen runden Mund alle Luft an, deren er habhaft werden konnte, ließ die Brust anschwellen, wippte auf den Absätzen auf und nieder – er trug Stiefel! –, warf einen letzten Blick über

Haus, Tische und Gesinde: und erblickte die Mutter, die nach wie vor, wenn auch inzwischen ein paar Schritte von ihrem Köfferchen und ihren Schuhen entfernt, unter dem Triumphbogen stand. Er stürzte zu ihr hin. »Clara?! Was tust du hier?«

»Ich…«

»Wie siehst du aus? So darf er dich nicht sehen!«

»Wer?«

Er packte sie am Arm – »Los! Komm mit!« –, riß sie mit sich, so schnell, daß sie schräg hinter ihm dreinflog. Erst im Dunkel des Haustors blieb Boris stehen, und mit ihm die Mutter. »Ein großer Tag!« rief er. »Er besucht I Leoni! Er wird gleich hier sein!« Seine Augen leuchteten. »Geh in dein Zimmer. Und zeig dich nicht, bis alles vorbei ist.«

Und schon eilte Boris, quer über die Terrasse, zur Treppe zurück, zum Triumphbogen, wo er sich neben den großen Onkel stellte. Die Mutter ging ins Haus. (Wieso durfte der hohe Besuch sie nicht sehen?) Sie tastete sich durch die schwarze Halle und stieg – ein düsteres Licht jetzt – die Treppe hoch. Ging durch Korridore, bog dahin ab, dorthin. Die alte Klosterstille, in der ihre Schritte um so lauter hallten. Die kühle Luft. Endlich ihre Zelle. Sie öffnete die Tür und roch den vertrauten Staub. Bett, Tisch, Waschschüssel, der Schrank. Das Bild mit dem Hirtenjungen. Sie seufzte (war sie eine Schande geworden?) und öffnete das Fenster. Sofort, wie ein Schlag, das Licht und die Hitze. Ein fernes Grollen auch, ungewohnt. Sie beugte sich hinaus. Tief unten die Terrasse, die Tische, das Gesinde, das in Gruppen stand. Boris und der große Onkel, zu lebenden Bildern erstarrt auch sie. Auf dem Weg, den die Mutter eben gegangen war, kroch eine lange Staubschlange auf I Leoni zu. Ihr Kopf, dem Staub voraus, war ein Auto voller Wimpel und Ersatzreifen, ein Monstergefährt aus Panzerplatten. Hinter dem Fahrer, der eine Kappe und eine Rennfahrerbrille trug, stand, hin und her schwankend, ein Mann in einer weißen Uniform. Er hob die Hand und reckte sie den Reben oder den Göttern entgegen. In der Staubwolke hinter ihm waren, auftauchend für kurze Augenblicke, Teile weiterer Fahrzeuge zu sehen, wie Phantome, ein Rad dort, ein Stück Kühlerhaube, ein staubfarbener Stander. Eherne Gesichter von Männern, hustende auch. Die näher kommende Armada grollte lauter, laut bald, dröhnte, und als das Auto mit dem weißen Helden den Kiesplatz unter der Terrassentreppe erreichte, rissen die Trompeter ihre Instrumente an die Münder und schmetterten los. Boris stürmte die Stufen hinunter. Das Gesinde juchzte, warf die Hüte in die Luft, und ein Chor aus Mädchen und Burschen begann zu singen. Frohe Gesichter, strahlende Augen. Der Fahrer des vordersten Autos hielt, stieg aus, öffnete den Wagenschlag, salutierte, und der weiße Gott stieg auf diese Erde nieder. Er war klein und dick und hatte einen Nacken, der breiter als sein Schädel war. Er reckte das Kinn, als er Boris auf sich zustürzen sah, ebenfalls mit einem Kinn, das einer Schaufel glich. (Seit wann hatte Boris so wuchtige Kiefer?) Jedenfalls, Boris riß einen Arm in die Höhe, bellte, und der Gast hob ebenfalls einen Arm. Er stülpte die Lippen vor, wie ein Fisch oder als wolle auch er den Himmel küssen – so wie Boris zuvor –, und dann schüttelten sich beide die Hände. Lange, kraftvoll. (Wieso schämte sich Boris ihrer?)

Inzwischen waren aus den andern Autos – sie standen, wo es gerade ging – Männer in schwarzen Uniformen ausgestiegen. Viele Männer, nur Männer, alle schwarz. – Der große Onkel war oben an der Treppe geblieben, unterm Triumphbogen, und begrüßte den Gast, indem er sich mehrmals verbeugte. Der Gast hob wieder den Arm, jetzt allerdings so, als sei er des vielen Grüßens müde, dieser allgegenwärtigen Verehrung. Er wollte jetzt er selber sein. Aber der große Onkel hielt dennoch seine Rede, mit dem Zettel in der Hand, ohne ihn je anzuschauen. Die Mutter hörte nicht, was er sagte, aber sie sah ihn und auch den weißen Gast, wie er dastand und die Lippen bewegte, als prüfe er die Qualität der Ansprache mit dem Gaumen. Boris stand mit offenem Maul. Als der Onkel fertig war, nickte der Gast, tat einen Schritt und stolperte über den Koffer der Mutter. Er schlug nicht hin, das nicht, aber er rannte ein paar Schritte zwischen Hangen und Bangen und fing sich dann wieder. Stand mit aus dem Schädel quellenden Augen – alle andern erstarrt – und lachte plötzlich. Dröhnte aus seiner breiten Brust heraus, auf die er mit der rechten Hand schlug. Die schwarzen Männer applaudierten. Ihr Herr, wie selbstgewiß er war! Wie entspannt er mit der Unbill des Lebens umgehen konnte. – Boris zischte den kleinen Onkel an, und der nahm den Koffer und rannte mit ihm ins Haus, während Boris die Schuhe hochhob und in die Feigenbäume schleuderte. (Oh, so ging er jetzt mit ihr um.) – Inzwischen saßen alle an den langen Tischen; der weiße Gast zwischen dem großen Onkel und der Tante. Sie war die einzige Frau, und Boris, ihr Nachbar auf der andern Seite, beugte sich über sie und rief dem Gast einen

Scherz zu, ein Lob, denn dieser nickte und strahlte. Große Platten dampften auf den Tischen, Berge aus riesigen Fleischstücken. Polenta in großen Schüsseln. Salate. Alle prosteten sich zu und leerten die Gläser mit männlichen Schlucken. Bald herrschte eine große Fröhlichkeit, die Männer zeigten, daß sie feiern konnten, unbeschwert und heiter. Sie waren alle zu einem kernigen Humor fähig, das erkannte die Mutter auch aus ihrer fernen Höhe. Zu Härte und Strenge natürlich auch, wenn das notwendig war, natürlich. Als der weiße Gast seine Uniformjacke auszog und über die Stuhllehne hängte, öffnete auch der eine oder andere der Männer seinen Kragenknopf. Dröhnendes Gelächter immer wieder. Rote Gesichter. – Die Mutter hatte Hunger und Durst und schaute, ob im Waschkrug Wasser war, irgendwo sonst in den andern Zellen. (Nicht einmal Wasser gönnten sie ihr.) So verpaßte sie den Aufbruch der Gäste. Denn als sie wieder ans Fenster trat und nach unten sah, eilten alle, als habe ein ferner Kampfruf sie ereilt, zu ihren Automobilen. Türenschlagen, die Motoren. Während die letzten Kampfgefährten noch bei den Tischen standen und ihre Becher leerten, fuhr der Wagen des weißen Gasts bereits los. War er der Duce? (Mein Gott, das war der Duce, sie sah den Duce mit eigenen Augen.) Er war tief in die Polster versunken – sein Schädel kaum mehr zu sehen – und blickte starr nach vorn. Er hatte I Leoni bereits vergessen. Trotzdem rannte Boris winkend neben dem Auto her und blieb erst in den Reben unten stehen. Er verschwand im Staub der Autos der Begleiter. Er hustete. Hustete und hustete, während das Dröhnen der Armee des Duce verklang. Endlich tauchte er aus dem Staubnebel auf, braun wie der Fahrweg, keuchte und würgte noch zwei, drei Male und rieb sich die Augen. Auch die andern – Onkel, Tante, das Gesinde – erwachten aus ihrer Verzauberung und gingen ins Haus. Stille. Die Geräusche von früher kamen zurück. Hähne, die krähten, Hunde, die bellten, und fernes Totengeläut.

AM nächsten Tag machte Boris wahr, was er der Mutter bei ihrem ersten Besuch versprochen hatte: die Cima bianca zu besteigen. Mitten in der Nacht noch fuhren sie mit dem Skoda los, den Bergen entgegen, und waren, als die Sonne aufging, bereits auf einer Alp hoch über den Tälern. Sie stellten den Skoda vor einen leeren Stall. Goldenes Morgenlicht. Die Mutter spürte ihr Herz klopfen, als sie nach oben sah, auf die Kette der Gipfel über ihr, von denen der höchste, die Cima bianca eben, eine weiße Haube trug. Uff. Die Südwand, direkt vor ihnen in den Himmel ragend, galt immer noch als unbezwingbar, obwohl Boris sie im Alleingang durchklettert hatte. Jetzt aber wollten sie die Normalroute begehen. Trotzdem hatte Boris Pickel und Seil bei sich, und die Mutter seufzte so laut auf, daß er ihr einen Arm um die Schultern legte und lachte. »Wird schon werden, Mädchen!« Sie marschierten los, schweigend und mit jenen langsamen Schritten, die in harmlosem Gelände fast lächerlich aussehen und dennoch helfen, die Kräfte bis zum Gipfel beisammenzuhalten. Nasses Gras, in der Morgensonne blinkende Tautropfen, gluckernde Bäche. Ein Murmeltier pfiff. Bald erste Schneeflecken. Nach zwei Stunden waren sie am Fuß des Grats, im Felsgestein nun. Schutt, karge Blumen hie und da noch, letzte Bergfinken, ein kleiner Wind. Sonne, Sonne, die Welt leuchtete. Die Mutter keuchte, während Boris vor ihr in die Höhe tanzte. Tief unten dampfte die Ebene in der Morgenhitze; hier oben allerdings war es kühl. »Ah!« rief Boris. »Was für ein Tag!« Die Mutter sagte nichts, dazu fehlte ihr die Luft. Aber auch sie war mehr und mehr versöhnt. Boris war so kraftvoll! So sicher! So bestimmt! – Beim großen Schneefeld seilten sie sich an. Jetzt ging Boris weit voraus, sicherte mit dem Pickel und ließ die Mutter nachkommen. Sie ließ seine Stapfen nicht aus den Augen und sah nicht ein einziges Mal in den Abgrund. Der Schnee knirschte. Später kamen einige Kletterpassagen, die erste Stufe, dann *il camino,* das Joch, leicht zu klettern: Aber die Mutter war doch froh, daß Boris über ihr stand und sie am Seil hochzog. Wie gewiß er war! Die Welt, unten, war fern. Weiße Wolken am Horizont. Boris verlor auch die Ruhe nicht, als die Mutter einmal ausrutschte und eine Schrecksekunde lang ihren Fuß im Abgrund hängen hatte. Er hielt sie am Seil und strahlte sie an. So daß sie bald unter dem letzten Felsabbruch standen – er ragte schier lotrecht in die Höhe und war dann gar nicht so schwer zu bezwingen – und gleich darauf auf dem Gipfel. Eisharter Schnee. Ein Kreuz aus Gußeisen, darunter zwei verrostete Konservenbüchsen. Ein Rundblick bis nach Afrika und Grönland schier. Gipfel, Grate, Spitzen, blau leuchtende Gletscher. Nur direkt vor ihnen ragte ein noch höherer Berg in den Himmel, ein wuchtiger Klotz, den die Mutter nicht als Matterhorn erkannte, weil er von dieser Seite aus nicht so aussah. Boris hatte sich auf einen Stein gesetzt und das Picknick ausgepackt. Brot,

Trockenfleisch, getrocknete Aprikosen. Tee. »Wir leben in großen Zeiten«, sagte er, sein Brot kauend. »Ich bin stolz, an dieser neuen Kraft teilhaben zu dürfen.« Er zeigte mit dem Kinn – jetzt hatte er wieder diese Schaufel! – nach Süden. »Abessinien ist unser! Das Land unserer Ahnen! Ist das nicht großartig? Daß jetzt wir dran sind? Wir Jungen? Ich werde I Leoni an die Spitze führen. Ich werde Ruffino in die Knie zwingen, und Antinori! Ich!« Er glühte, und die Mutter nickte heftig. Boris konnte so leidenschaftlich sein. »Wie herrlich ist es hier oben!« rief sie aus. »Fern von den Menschen!« – Im Feuer der Begeisterung hatten beide nicht bemerkt, daß die weißen Wolken – eben noch fern und klein – riesige Wolkengebirge geworden waren und sich nun über ihnen auftürmten. Wind kam auf. Sie zogen ihre Rucksäcke an und machten sich an den Abstieg. Diesmal ging die Mutter vorn, und Boris sicherte hinten. Natürlich kamen sie nun langsamer voran. Die Mutter tastete oft nach dem richtigen Griff und zögerte, auch wenn Boris ihr die klarsten Hinweise gab. Jetzt klang er zuweilen etwas ungeduldig. Als sie das Joch hinter sich hatten, war der Wind ein Sturm geworden, und die Wolken über ihnen hingen schwarz und drohend. Keiner sagte ein Wort, aber sie gingen schnell, schneller vielleicht, als ein sorgsames Sichern erlaubt hätte. Sie bewältigten den *camino* und die erste Stufe sozusagen im Laufschritt, und einmal trat Boris denn auch so unbedacht auf eine Felsplatte, daß diese in den Abgrund hinabdonnerte, einen Strom aus Steinen mit sich reißend. Als sie zur ersten Stufe kamen und schon das große Schneefeld sahen, brach das Gewitter los. Blitze fuhren aus den Wolken, die Donnerschläge krachten gleichzeitig mit ihnen. Es begann zu regnen. Die Mutter spürte, daß das Seil sie zurückhielt, und wandte sich um. Boris kauerte im Geröll. Er hatte seinen Pickel weggeworfen und die Arme um den Kopf geschlungen. Die Mutter ging die paar Schritte zurück. Boris zitterte, bebte, und als die Mutter seinen Arm berührte, schrie er auf. Er schluchzte nun, heulte, und sein Körper flog hin und her, als tobe der Sturmwind in ihm drin. »Boris«, sagte die Mutter. »Boris.« Die Blitze schlugen oben und unten und rechts und links ein, so daß auch die Mutter sich duckte. Der Regen war eine eiskalte Peitsche. Boris hatte seinen Kopf zwischen seinen Knien und wimmerte in sich hinein. Inzwischen stank er ganz schrecklich. So blieben sie, naß bis auf die Haut längst. Boris' Zähne klapperten. Auch die Mutter fühlte sich unbehaglich. Blitze, zwei, fünf aufs Mal, das Krachen aller Entladungen gleichzeitig, so laut, als geschähen sie im eignen Hirn. Eine Ewigkeit lang. Endlich wurde das Donnern ferner, schlugen die Blitze seltener ein, rauschte der Regen weniger endgültig. Die Mutter stand auf. Boris lag in einer Felsluke. War er tot? Sie schüttelte ihn. »Wird schon werden«, sagte sie. Boris rührte sich zwar nicht, aber er stöhnte. »Zieh die Unterhose aus«, sagte die Mutter. »Ich schaue weg.« Tatsächlich hörte sie, während sie auf die Blitze sah, die, weit weg schon, in die Ebene einschlugen, daß Boris aufstand. Er fuhrwerkte herum und wurde von Heulkrämpfen geschüttelt. Aber dann flog ein Stoffbündel an ihr vorbei in die Tiefe. Es klatschte auf einem Felsen auf. »Gib mir die Hand«, sagte die Mutter. Sie half Boris übers große Schneefeld, den Schutt hinab, bis zum Fuß des Grats. Auf den Wiesen konnte Boris schon allein gehen, aber er weinte immer noch so, daß er über Steine stolperte und in Wasserlöcher trat. Irgendwie erreichten sie die Alp. Die Mutter bugsierte Boris auf den Beifahrersitz des Skoda und setzte sich hinters Steuer. Als sie die Alpstraße hinunterfuhren, schien die Sonne wieder. In der Ebene unten fuhren sie zwischen Pappeln, die, als hinter ihnen die Sonne unterging, wie Scherenschnitte aussahen. »Mein Vater«, sagte Boris plötzlich ganz laut, »hat vor Gewittern keine Angst.« Dann schwieg er wieder. Als sie in I Leoni ankamen, war es dunkel. Die Scheinwerfer leuchteten das Haus an, und dann Boris, wie er zur Tür hinstolperte. Die Mutter fuhr den Skoda in die Garage, stieg in ihre Zelle hinauf, zog ihr nasses Zeug aus und aß den Rest des Picknicks.

DANN kam ihr Kind zur Welt, ich, und diesmal wollte sie sich freuen dürfen. Sie wollte sich freuen, freuen, wenn sie ihr Kind ansah. Es badete, ihm die Brust gab. Es wiegte, ihm Lieder vorsang, es koste und drückte. Es spazierenfuhr. Ihm die schöne Welt zeigte, die Sonne, das Licht. – Aber sie konnte es nicht, es gelang ihr einfach nicht. Kein Licht, keine Sonne. Aus ihrer Brust kam keine Milch, ihre Lieder endeten vor dem Ende, und wenn sie ihr Kind küßte, drohte sie es zu ersticken. Sie lachte nicht, nein. Im Gegenteil. Den ganzen Tag über schluchzte sie ohne Tränen, schrie sie ohne Töne. In den Nächten wehrte sie sich, schlaflos um sich schlagend, gegen ihre Träume, aber wenn der Morgen kam, verkrallte sie sich, als könnten sie ihr helfen, in genau diese Nachtmahre, um nicht in den neuen Tag hineinzumüssen. Preßte die Augen zu, auch wenn sie längst wach war. Auch wenn das Kind schrie. Wenn sie dann doch aufstand, endlich, war sie wie betäubt. Kreideweiß und mit wirren Haaren schlich sie die Wände entlang, im Morgenmantel noch am Abend. Sie hörte keinen Ruf, gab keine Antwort. Sah sie, wo sie ging? Ihre Art wurde nun jedenfalls, daß sie zitterte, wenn sie ein Glas Wasser trank, und bebte, wenn sie ein Stück Brot abschnitt. Daß sie vom Stuhl stürzte vor Schreck, wenn das Telefon klingelte. Sie vergaß zu kochen oder stellte zur Unzeit ein reiches Gericht auf den Tisch. Sie stützte sich auf der Herdplatte auf und merkte nicht, daß ihre Hand schmorte. Umgekehrt lüftete sie stundenlang die Zimmer, wenn es draußen Stein und Bein fror. Sie konnte das Wort sterben nicht aussprechen – sagte stürbseln, kaum zu glauben – und ging im Kopf ihre Todesarten immer erneut durch. Das Rattengift aus dem Schuppen trinken. Sich die Pulsadern mit dem Küchenmesser durchschneiden. Tabletten verschlingen, alle aufs Mal, den Whisky trinken, den ganzen Vorrat, dann hinaus in den Schnee und sich unter den Nußbaum legen. Sich im Bad verbrühen. In den See gehen, nicht innehalten diesmal, den Stein nicht loslassen. – Das Kind wollte sie mitnehmen, das war selbstverständlich. »Das Kind mitnehmen«, so nannte sie es. – Sie stand am Fenster und preßte die Stirn gegen das Glas. Vor ihrem Mund der Dunst des Atems. Draußen blühten die Flieder, flirrten die Sommerwiesen, prangten die Stoppelfelder und blinkte der Schnee bis zum Wald hin: sie sah keine Unterschiede. Sie rang die Hände und flüsterte vor sich hin. Ja, das war das Schlimmste, wie sie flüsterte. Sie wisperte, ein

Gespenst, durchs ganze Haus. Zischelte aus dem Keller heraus und war doch gerade eben auf dem Dach gewesen. Ihr Rascheln ging ihr voraus, dieses Gewisper, erst kam das Flüstern, dann kam sie. Sie bewegte die Lippen in einem ewigen Gebet. Wer ihr begegnete, trat in die Mitte des Korridors – sie schlich ja die Wände entlang – und versuchte zu verstehen, was sie sagte; verstand dennoch nicht. Anklagen, Abrechnungen, Rechtfertigungen? – Sie dachte, Flammen schlügen aus ihrer Haut; oder daß Ungeziefer sie von innen her fräße. – Wenn sie jetzt im See stand – sie tat das jetzt immer nachts, trug das Kind an Stelle des Steins mit sich –, saugten sich ihre Augen an den fern leuchtenden Fenstern von Edwins Haus fest. Sie sah nur diese Lichter, wie sie strahlten, wie sie gleißten. Diese Verlockungssterne. – Ihr Kind, das sie, wie früher den Stein, losgelassen hatte, krallte sich an ihrem Rock fest. Das störte sie nicht, das nahm sie nicht wahr. – Sie starrte gierig, so verzückt, daß sie diesen fernen Palast immer näher sah, größer, wirklicher. Ja, bald stand sie vor den Gartengittern, sie, Clara, die lange vermißte Clara, und spähte über den ansteigenden, von Fackeln beleuchteten Rasen zu den Schloßfenstern hoch. Schatten hinter den Scheiben. Musik, gedämpftes Gelächter. Gab es Hunde? Und wenn. Die Hunde waren ihr egal. Sie kamen ihr gerade recht, diese Doggen, sollten sie kommen, sie zerfleischen. Wie sie dalag mit zerbissener Kehle, in ihrem weißen Kleid, im blutroten Gras! – Sie huschte über den Rasen, an den Fackeln vorbei, zog sich am Spalier hoch und blickte ins Schloßinnere. Oh, welche Pracht. Ein Saal voller Gold, von tausend Kerzen erleuchtet, die in Kronleuchtern brannten. Eine lange Tafel mit

Gästen. Herren im Smoking, Damen in Abendkleidern, mit herrlichen Brüsten, über denen Diamanten funkelten. Die dort, das war die Herrin. Sie war schön. O ja, sie war wunderbar. Sie saß in einem Brautkleid in der Mitte der Tafel. Ein einziger Edelstein leuchtete rot über ihrem Dekolleté. Sie lächelte und plauderte und dirigierte doch alle Bediensteten mit ihren Augen. Die Mutter sah es genau. Ein Brauenheben, ein kurzer Blick, und sie spritzten dahin, dorthin, schenkten Wein nach oder brachten eine neue Gabel. Sie machte das wunderbar. Perfekt! Edwin saß neben ihr. Trug er weiße Handschuhe? Ein weißes Smokinghemd mit Rüschen jedenfalls gewiß. Eine schwarz glänzende Frisur mit einem tadellosen Scheitel. Seine Nase, mehr denn je die eines Raubvogels. Er beugte sich über seine Frau und sagte etwas Verliebtes. Wie seine Augen funkelten! Wie die ihren glänzten! Wie sie saßen, ihre Blicke ineinander getaucht, als ob es die andern Gäste nicht gäbe. Die Augen Edwins waren stahlblau, die seiner Gattin funkelten schwarz. – Jetzt, aber jetzt, was war das? Die Mutter sah – ihr Herz raste vor Erregung –, daß sie es war, die da neben Edwin saß. Sie, ja, sie! Erst hatte sie sich nicht erkannt, aber, kein Zweifel, das war sie. Edwin wandte sich ihr zu, ihr! – Jäh wachte sie auf, vielleicht weil ihr Kind auch mit dem Kopf ins Wasser geraten war und um sich schlug. Sie hob mich hoch und stapfte ans Ufer. Alles naß, die Beine, der Bauch. Eine Wasserspur hinter sich lassend, rannte sie nach Hause zurück und warf mich und sich ins Bett. – Sie biß sich jetzt oft die Lippen blutig, hatte verkrustete Rinnsale auf dem Kinn. Ihr Kind floh vor ihr, ich, und reckte ihr dennoch die Ärmchen entgegen. – Zu dieser Zeit kündigte das Junge Orchester die Uraufführung eines neuen Werks von Béla Bartók an. Bartók hatte es für Edwin geschrieben, in seinem Auftrag. (In seinem Ferienchalet in der Nähe von Adelboden, um genau zu sein. Bartók hatte, glückserregt, vier Wochen in einem nach altem Holz riechenden Zimmer verbracht und keine einzige Zeitung gelesen. Er hatte einiges verpaßt, unter anderem den Beginn des Zweiten Weltkriegs. Edwin fuhr mit dem Rolls zu ihm hoch und berichtete ihm das Unvorstellbare. Bartók nickte, schüttelte den Kopf, schluckte; aber andrerseits hatte er den Schluß seines Stücks noch nicht orchestriert und mußte sich gleich wieder an die Arbeit machen.) Die Mutter ließ die Badewanne vollaufen und zog sich aus und legte sich ins heiße Wasser und seifte sich ein und spülte sich sauber und wusch sich die Haare und fönte sie eine Stunde oder länger und band sie hoch zu einer Frisur wie eine Burg. Sie puderte und schminkte sich von Kopf bis Fuß und zog ihr schwarzes Seidenkleid an. Eine Halskette aus den Vaterzeiten. Ihren Mantel mit dem Pelzkragen und einen Hut mit einem Gesichtsnetz. So saß sie auf ihrem vertrauten Platz in der zweiten Reihe – noch fanden die Konzerte im Historischen Museum statt – und hielt den Kopf schräg. Lächelte. Edwin stand direkt vor ihr auf einer Art Kiste, und sie starrte auf die Schöße seines Fracks, die auf und ab wippten. Sie hörte keinen Ton. Ihr schwindelte. Als Edwin den Taktstock senkte und im Nachhall verharrte, saßen alle Zuhörer wie verzaubert. Eine tiefe Stille, schier ewig. Dann brach ein unfaßbarer Applaus los. Bartóks Stück – das Divertimento für Streichorchester – war ein Meisterwerk, und die Zuhörer erkannten, was sie da geschenkt bekommen hatten. Sie klatschten und klatschten und wollten nicht aufhören. Diesmal war auch der hintere Teil des Saals hingerissen; die Buher und Pfeifer von einst standen und jubelten und lachten sich zu. Auch die Mutter schlug die Hände gegeneinander. Bravo, bravo, ja, die Mutter erhob sich und rief Bravo! Bartók schüttelte wieder alle Hände, und Edwin nickte wie gewohnt ins Publikum, als koste jeder Dank Geld. Die Musiker schlugen ihre Bogen gegen die Instrumente. In der vordersten Reihe saß die Cellistin. (Sie glühte vor Glück. Es war ihr letztes Konzert mit dem Jungen Orchester. Nun ging sie nach Berlin, zu dem Mann, den sie liebte.) – Nach dem Konzert – es schneite heftig – wartete die Mutter, vor dem Historischen Museum stehend, auf ein Taxi, als die Nebenpforte aufging und Bartók heraustrat. Er trug einen dicken Mantel, blinzelte zu den Schneeflocken hinauf und kam dann direkt auf die Mutter zu. »Béla!« rief diese und ging ihm einen Schritt entgegen. Bartók starrte sie an, sagte: »Danke, danke«, und ging an ihr vorbei. Die Mutter rief: »Ich bin's, Clara«, als sich die Pforte erneut auftat. Edwin. »Hier durch, Béla!« rief er und winkte. Er hatte eine Stimme wie ein Feldherr und sah die Mutter ungerührt an. Bartók machte rechtsumkehrt und rannte, leuchtend vor Entzücken, zu ihm hin. Edwin legte einen Arm um seine Schultern. So gingen sie, der große Edwin und der kleine Béla, im vom Himmel strömenden Schnee davon und verschwanden, fern am Ende der Straße, im Eingang des Restaurants zum Goldenen Löwen. – In dieser Nacht saß die Mutter auf der Couch, biß in ein Kissen und rief: »Ich kann nicht mehr!« Sie schlug den Kopf gegen die Wand. Sie konnte nicht mehr. Ein Arzt wurde geholt, und sie wurde weggeführt, ein wimmerndes Bündel mit dem Pelzkragenmantel um die Schultern. Das Kind, ich, kugelte hinter dem Transport drein, kletterte die Abgründe der Treppenstufen hinab und gelangte endlich auch ins Freie. Schnee, im Licht des Flurs. Darin dicke Tappen, die sich im Dunkeln verloren. Das Gartentor, eben noch zu sehen, stand offen.

Es blieb offen, niemand schloß es. Kein Wind, der es bewegt hätte. Sperlinge stürzten tot vom Himmel. Die Sonne war schwarz, der Mond war blind. Kein Mensch ging auf Erden. Die Wässer der Bäche gefroren. Tote Forellen starrten aus dem Eis. Wolken hingen in den Bäumen. Das Gras war grau, Staub, Vulkanasche vielleicht, auf allen Wegen. In den Gärten lagen Mäuse auf dem Rücken, über ihnen im Lauf erstarrte Katzen. An den Fenstern Eisblumen. Kein Laut nirgendwo, kein Krähenkrächzen, nichts. Die Welt war verstummt. Das Haus ein Grab. – Dann kam die Mutter zurück. Sie war mit Elektroschocks geheilt worden. (Später einmal, viel später sagte sie – ein einziges Mal sagte sie das! –, die Elektrotherapie sei das Schlimmste gewesen, was ihr je zugestoßen sei. Sie war in eine Kammer geführt worden. Grüne Wände, keine Fenster. Licht von der Decke, keine Möbel, außer einer schmalen Liege. Dunkles Kunstleder, Riemen, Metallklammern. Apparaturen, Kabel. Man schnallte sie – drei Männer in weißen Kitteln waren bei ihr, sie wehrte sich, allerdings halbherzig – auf das Bett. Riemen um die Beine, Riemen um die Handgelenke. Da lag sie, stumm, starr, und spürte, wie ihr Schä-

del festgeschraubt wurde. In einer Art Helm. Ein Gummistück wurde ihr in den Mund gezwungen. Jetzt wollte sie
schreien, maunzte auch, machte Geräusche. Die Ärzte
allerdings kümmerten sich nicht um sie, sprachen über sie
hinweg. »Fange ich mit neunzig an?« – »Ja, würd ich sagen.
Wir können dann ja immer noch höher gehen.« – Der
Stromstoß war wie eine Explosion. Ein Blitz im Kopf, ein
Peitschenschlag durch alle Muskeln. Sie bäumte sich auf,
verbiß sich im Gummi, preßte die Augen zu, riß sie auf.
Heulte nach innen, wie ein Wolf; sie war ein Wolf. Ein Gewitter in ihr drin, bis sie bewegungslos liegen blieb; auch
als sie ohne Fesseln war. Das Gummistück wurde entfernt,
ihr Mund blieb offen. »So. Das war's ja schon.« Sie wurde
in ihr Zimmer zurückgefahren, wo sie auf dem Rücken lag
und zur Decke hinaufstarrte. Jeden Morgen wurde sie in
die Behandlungskammer gebracht, so lange, bis sie – leer-
gebrannt – sich selber auf die Liege legte und die Hände
ohne zu zögern in die Lederfesseln legte. Bis sie vor dem
Stromschlag so viel wie nach ihm fühlte, so wenig. Den
Rest ihrer Zeit lag sie in ihrem weißen Zimmer – Licht,
Licht, wehende Vorhänge; es war inzwischen Frühling
geworden –, bis einer der Ärzte kam und ihr sagte, daß sie
gesund sei und nach Hause dürfe. »Ist das nicht wunderbar, daß es Ihnen wieder so gut geht?« Also stand die Mutter auf, packte Nachthemd und Zahnbürste in ihr Köfferchen, nahm den Pelzkragenmantel vom Bügel und ging
nach Hause, wo ihr Kind, ich, immer noch unter der Tür
stand, oder wieder, und in die Hose machte, als es sie beim
offenen Gartentor auftauchen sah.) – Nun schien die Sonne
wieder, die Bäume blühten, das Gras strotzte grün. Fern,

unsichtbar – unsichtbar noch – war Krieg. (Hitler hatte Polen verwüstet.) Die Mutter stellte den Koffer ins Schlafzimmer und hängte den Mantel in den Schrank, zog ihren ältesten Rock und die Bergschuhe an und ging in den Garten. Sie fällte den Fliederbaum und den Weißdorn und riß alle Narzissen, Tulpen, Osterglocken, Iris oder Schlüsselblumen aus. Sie grub den gerodeten Blumengarten – ein kahles Feld nun, von Horizont zu Horizont – mit einem Spaten um, sie allein. Es gab keine Männer mehr. Sie zerkleinerte die Schollen mit einer Hacke und warf alle Steine – viele, unzählige, der Acker war ein Steinfeld – auf einen Haufen, der bald ein Berg wurde. Sie fuhr mit dem Rechen durch die zerkleinerte Erde, immer wieder und nochmals, bis sie körnig war. Wie Mehl fast. (Hitler hetzte die Briten in Dünkirchen ins Meer.) Die Mutter stach Löcher mit einem Setzholz und zog mit dem Handrücken Furchen. Sie streute Samen aus kleinen Tütchen und drückte Setzlinge in der Erde fest. Begoß sie, einen nach dem andern, mit nicht zu kaltem Regenwasser, das sie einer rostigen Tonne entnahm, die, von einem kleinen Sumpf umgeben, neben dem Werkzeugschuppen stand. Schräg gehend und einen Arm in den Himmel streckend, schleppte sie Gießkannen, aus denen das Wasser schwappte. Sie rammte Holzstangen in den Boden, lange für die Kletterbohnen und kurze für die Erbsen. Unter dem Kastanienbaum und der Buche breitete sie Tücher aus und schlug, auf einer Leiter stehend, Maikäfer herunter. Tausende von braunen Käfern (Hitler zog, den Arm in die Höhe gereckt, in Paris ein), die sie in Eimer abfüllte und, der Liter für fünf Rappen, zur Maikäfersammelstelle brachte; mit dem Fahrrad, die Eimer rechts und links an der Lenkstange; mehrmals haute es sie natürlich in das Brennesselfeld, in das sich die Käfer dann verkrümelten. – Irgendwo war immer auch der Hund, sie hatte jetzt einen Hund. – Sie band die Tomaten mit gelbem Bast hoch und zwackte die falschen Triebe weg. Sie tat Holzwolle unter die noch grünen Erdbeeren. Sie streute Gift. (Hitler zerbombte Coventry.) Sie rannte mit dem Schubkarren, der voller Torf oder altem Laub war, über die Wege zwischen den Beeten, schuhbreite Pfade. Ja, sie rannte, sie ging nie. Sie stopfte den Gartenschlauch in ein Mauseloch, drehte das Wasser auf und erschlug mit einem Spaten die Mäuse, die aus den andern Löchern flohen. (Hitler war jetzt auch in Narvik, am Nordpol oder beinah.) Sie ging mit einem ihrer Eimer und einer Besenschaufel hinter den Pferden der Bauern und sammelte die Pferdeäpfel ein. An den Wegrändern pflückte sie Kamillen und trocknete sie auf Tüchern. Auf allen Fenstersimsen lagen halb grüne, halb rote Tomaten. Sie rochen! Die Granitplatten des Wegs zum Gartentor waren glühend heiß! Eidechsen verschwanden zwischen Steinen! Hie und da richtete sich die Mutter auf – immer war sie über ein Hagebuttenmostfaß oder ein Unkraut gebeugt – und blies mit vorgestülpter Oberlippe Luft in ihre Bluse. Sogar sie fand es heiß! Mücken, überall summten Mücken. Fliegenschwärme um ihren Kopf. Zwischen den grünen Stauden kauernd, jagte sie Kartoffelkäfer. Sie grub Maulwurfshügel aus und zertrat Engerlinge. Eine Werre, wenn einmal eine Werre über die Beete flitzte, gab das ein Geschrei! (Nun wurde auch Mussolini wahnsinnig, marschierte in Griechenland ein.) Auf dem Kompost, einem regelrechten

Gebirge, wuchsen Riesengurken. Zucchini und Zucchetti, übereinanderwuchernd wie Urzeitentiere. (Hitler traf Pétain, der einen Federhut auf seinem Kopf trug.) Als es kühler wurde, als es in Strömen regnete, kauerte die Mutter, in eine schwarze Pelerine gehüllt, in den Kartoffeln und grub die Knollen aus. Sie füllte Kiste um Kiste, trug diese breitbeinig in den Keller. Sie band die Zwiebeln zu Zöpfen und hängte diese in den Schuppen. Die Zwiebelzöpfe verströmten ihren Duft sogar durch die geschlossene Tür, bis zur Wassertonne hin, die nach Moos roch. Die Ernte, das war kein Fest, die Mutter feierte keine Feste: Aber überall stapelten sich Äpfel, Birnen, Quitten. Nüsse. Die Mutter stand in der Küche und kochte Marmelade. Dampf. Es gab keinen Zucker, aber irgendwoher hatte sie doch welchen. Allerdings nur fürs Eingekochte, nicht zum Schlecken. Zellophanpapier, rote Gummiringe. Für die eingemachten Birnen, Aprikosen, Zwetschgen hatte sie grüne Gläser aus Bülach. Daß sie aus Bülach waren, das war irgendwie wichtig. – Sie putzte, rannte, kochte, schrubbte. Stand mit der Sonne auf – sie, die einst nicht aus dem Bett zu kriegen war – und ging um Mitternacht schlafen. – Dann fiel Schnee. Nun saß sie – wenn sie nicht gerade die Wege frei schaufelte oder im Sauerkrautfaß herumstampfte – im einzigen Zimmer, das geheizt werden durfte und »die Wärme« hieß. Sie nähte Hosen, flickte Socken, strickte Pullover und putzte das alte Silber, das Silber von einst, bis es glitzerte und glänzte und strahlte. Dann schloß sie es wieder weg; essen tat sie nie damit. – Sie ging nicht mehr zum See. Zuweilen nur blieb sie vor dem kleinen Tisch stehen, dem Altar; betete aber nicht wirklich. Blätterte allenfalls, ohne es zu lesen, in einem Programm und legte es wieder hin. Ab und zu stand sie am Fenster und sah zum Wald hinüber. Selten aber, eher selten. – So lebte sie. Hitler griff Rußland an, und die Mutter setzte Zwiebeln. Hitler belagerte Moskau. Die Mutter riß Rüben aus. Rommels Panzer jagten die Panzer Montgomerys durch die Sahara. Die Mutter stand im Rauch eines Feuers, das alten Ästen den Garaus machte. Hitler erreichte den Don. Die Mutter zwischen hohen Maisstauden. Stalingrad! Die Mutter nähte schwarze Vorhänge, hängte sie an alle Fenster und prüfte von außen, durch den Schnee stapfend, ob auch wirklich kein Lichtschein durch irgendwelche Ritzen drang. Die Amerikaner eroberten Sizilien. Die Mutter stand händeringend vor den Tomaten, die faulten, ohne reif geworden zu sein. Die Amerikaner, die Briten, die Kanadier und die Franzosen landeten in der Normandie. Die Mutter klaubte silbrig glänzende Folienstreifen aus den Bohnen. De Gaulle, größer als alle andern, marschierte an der Spitze seiner Truppe in Paris ein, während die Mutter die Hasen fütterte. Als die Alliierten den Rhein erreichten, füllte die Mutter die Hurden im Keller mit Boskop-Äpfeln. Und als Hitler, irrsinniger denn je, die Ardennenoffensive befahl, hackte die Mutter im Wald eine junge Tanne um – in der Abenddämmerung, der Förster durfte sie nicht erwischen –, weil Weihnachten war und die Mutter noch nie, nicht ein einziges Mal, Weihnachten ohne einen kerzenleuchtenden Baum verbracht hatte. Die Russen kämpften sich bis nach Berlin durch, und die Mutter machte neue Beete bereit. Am 8. Mai 1945, um die Mittagszeit, läuteten alle Glocken. Fern, hinterm Horizont, die Mutter wohnte nicht in der Nähe einer Kirche. Es war, als ob die Erde selber dröhnte. Die Mutter ließ die Hacke, mit der sie die Erdschollen zerkleinerte, ins Beet fallen und setzte sich auf die Gartenbank, die sie fünf Jahre lang nur benutzt hatte, um Gartenkleider oder Heckenscheren darauf zu legen. Sie atmete ein, sie atmete aus. Den Kirschbäumen gingen die Blüten auf, und die Schwalben flogen um ihre Nester. Die Stieglitze pfiffen. Der Goldregen floss von seinen Ästen, die Glyzinien blühten. Von fern, über die Felder und die Straße hinauf, kamen schwarze Punkte näher. Wurden größer und endlich groß. Die Männer. Die Männer kamen zurück, in ihren Uniformen, mit ihren Tornistern und mit den Karabinern über den Schultern. Sie lachten und winkten, jetzt schon jeder einzelne erkennbar. Die Mutter hob eine Hand, winkte auch. »Hund«, sagte sie zum Hund. »Von heute an müssen wir den Frieden bestehen, wir zwei.« Sie stand auf, stieg über das Kind hinweg, das auf dem Boden saß und mit Steinen eine Burg baute, ein uneinnehmbares Kastell, und ging ins Haus.

DER Krieg war vorüber. Alle, die noch lebten, hoben den Kopf und sahen sich um, auch die Mutter. Was war aus den andern geworden? Fern der Stadt, an ihrem äußersten Rand, erfuhr die Mutter allerdings nicht viel. So daß die erste Nachricht, die etwas galt, sie erst im Hochsommer erreichte, an einem glühendheißen Tag. Sie kam von Wern, just von Wern. Die Mutter traf ihn vor dem Herrenunterhosenwühlkorb in der EPA, einem Warenhaus im Zentrum der Stadt. Sie errötete – wäre vielleicht geflohen, wenn sie es ungesehen hätte tun können –, weil sie in einem Laden überrascht wurde, den eine Lermitier, eine Bodmer und auch Edwins Frau nie betreten hätten. Nie im Leben. Wern, der eine fahnengroße weiße Unterhose vor seinen Bauch hielt, um ihre Größe abzuschätzen, war es überhaupt nicht peinlich, im Gegenteil. Er freute sich, umarmte die schamrote Mutter und küßte sie auf beide Wangen. »Clara! Wie schön!« Er war in Begleitung einer exotisch aussehenden Dame, einer winzig kleinen Schönheit mit Mandelaugen und einem strahlenden Lächeln. Sie war aus Bali und seine Frau. Es stellte sich heraus, daß beide vor zwei Tagen erst in der Stadt angekommen waren, nach einer abenteuerlichen Reise auf Eselsrücken und Schiffen, die jeden, aber auch jeden Hafen anliefen, so daß sie mehr als zwei Monate lang unterwegs gewesen waren. Sie waren am Tag des Friedens aufgebrochen. »Wieso aus Bali?« sagte die Mutter. Wern lachte und warf die Unterhose in den Wühlkorb zurück. »Glück, Pech, urteile selbst.« Er war just durch jene Südsee gereist, als der Krieg auch auf Asien übergriff. Keine Möglichkeit mehr heimzukommen. Er machte das Beste aus der dummen Lage, und das Beste war, daß er eine junge Inselschönheit umwarb, die sich, als sie sich ihm ergeben hatte, als die Tochter eines lokalen Königs erwies. Wern sagte diesem, er sei ein König aus Europa und ein Zauberer, der die Blattläuse, die des Königs Plantagen zerfraßen, mit einem Fingerschnipsen zum Verschwinden bringen könne. Er schnipste, sprühte sein Produkt, schnipste nochmals, und der König sah mit Staunen, wie seine Pflanzen aufblühten. Das tat auch seine Tochter, die Prinzessin, und also gab er sie Wern zur Frau. Wern wohnte nun in einer luxuriösen Hütte aus Palmwedeln, schlief in einer goldgewirkten Hängematte, trank Ananassäfte und Zuckerrohrschnäpse aus kostbar geschnitzten Holzschalen und rauchte selbstgedrehte Zigarren aus einheimischen Tabaken, was der einzige Wermutstropfen in diesem Kelch vollkommenen Glücks war. Er liebte seine Frau mit europäischer Brunst, und sie beantwortete seine Leidenschaft mit balinesischer Hingabe. Mit Notenpapier im Gepäck und riesengroßen Ohren ritt er durch Urwälder und über Gebirge in die hinterletzten Dörfer der Insel und hielt alles auch nur entfernt Musikähnliche fest, das er zu hören bekam. Röhrentuten, Trommelgetöse, Gräserzirpen. Chorisches Heulen. (Tatsächlich erschien zwei Jahre später, im September 1947, bei Gallimard in Paris und in französischer Sprache, sein *Abrégé de la Musique de l'Ile de Bali*, ein über zweitausend Seiten dickes Buch voller Notenbeispiele und Grundsatzanalysen, das sofort *das* Standardwerk wurde.) Er sammelte alles und jedes: Masken, Schilde, Türpfosten, Einbäume, ein ganzes Männerhaus. Als seine Sammlung, drei Jahre nach ihm, in mehreren Güterwagen in der Stadt anlangte, war sie sofort *die* Sensation und füllte im Museum für Völkerkunde drei Säle, für die jede Menge römischer Ziegel, mittelalterlicher Kochstellen und Töpfe aus dem 18. Jahrhundert in den Keller verbannt wurden. – Wern und seine Frau wohnten jetzt, vorübergehend wenigstens, am Fluß, in der früheren Wohnung Edwins, die dieser nach seiner Heirat als *pied à terre* behalten hatte. Zum Ausspannen zwischen zwei Proben, zum ruhigen Arbeiten und – Wern strahlte die Mutter an – für das eine oder andere Abenteuer. »Edwin und die Frauen, da weißt du ja Bescheid. Er läßt noch immer nichts anbrennen.« Er lachte dröhnend, und auch der Mutter gelang ein Lächeln. Da stand er nun, Wern. Runder denn je, strotzend vor Glück, und jetzt zündete er sich doch tatsächlich auch eine seiner Zigarren an. Seine Frau, sagte er, sei völlig begeistert von seinem Königtum. Hier – er wies mit einer imperialen Geste auf Waren und Kunden –, von dem allem. Sie glaube, er sei der Herrscher über die Verkäuferinnen der EPA. Und über die Kellner in den Restaurants, den Briefträger, die Straßenbahnen. Er winkte seiner Frau, die eben, vor einem Spiegel stehend, einen Strohhut ausprobierte. Um 40% reduziert, Aktionspreis 8.50. Sie sah entzückend aus, durch den Spiegel verdoppelt. Sie hatte einen dieser magischen Scheine in der Hand, mit denen Wern sie versorgt hatte, und gab ihn der Untertanin an der Kasse. Kriegte eine Handvoll glänzender Münzen dafür und durfte erst noch den Hut behalten. Sie winkte auch. Hüpfte und lachte. Wern war wirklich ein mächtiger Herrscher. Die Mutter begleitete die beiden auf die Straße hinaus und sah ihnen nach, wie sie, eng umschlungen, davongingen, ein in eine Rauchwolke gehülltes königliches Paar, dem die Untertanen respektvoll auswichen. – Der lokale Komponist war irgendwann in einem der kalten Kriegswinter gestorben. Er war erfroren, verhungert und verdurstet. Niemand hatte seinen Tod bemerkt – der Hausbesitzer, der die Miete eintreiben wollte, fand ihn –, niemand kam zu seiner Beerdigung. Es regnete in Strömen. Zwei Angestellte des Friedhofsamtes trugen ihn im Laufschritt zu Grabe, und es war dann ein rechtes Wunder, daß der eine von ihnen, ein jobbender Musikstudent, auf dem Rückweg zum Abdankungsgebäude – er wußte selber nicht, warum er das tat – die Melodie der letzten der Cinq Variations Sur Le Thème Le Ruisseau Qui Cours Après Toy-Mesme de François Richard vor sich hin summte. Jenen Wunschkonzerthit. Edwin hatte immerhin einen Kranz geschickt, der nun einsam und naß auf dem Grabhügel lag. Auf der einen Schleife stand: »In Dankbarkeit«, auf der andern: »Das Junge Orchester«. An dieser hing, mit einer Büroklammer befestigt, eine Visitenkarte. Eine schwungvolle Schrift, violette Tinte. »Alles Gute, E.« Die Tinte rann, Tränen, in langen Schlieren auf die Graberde hinunter. – Auch der Konzertmeister des Jungen Orchesters, der alte Hase, lebte nicht mehr. Er hatte am Tag der Generalmobilmachung – für sie war er viel zu alt – einen Schlaganfall erlitten und dann drei Jahre lang in einem Fauteuil im Haus seiner Tochter gesessen, mit seinem Geigenbogen in der rechten zittrigen Hand und der Geige auf den Knien. An einem trüben Novemberabend fiel die Geige zu Boden, und er zertrat sie. Absicht oder nicht. Am nächsten Morgen war auch er tot. – Die Cellistin war in Buchenwald ermordet worden. Sie war im dritten Monat schwanger, als sie mitten aus einem Konzert heraus von der Gestapo verhaftet wurde. Als sie im Schneeregen einen frostharten Acker mit einem Spaten umgraben mußte, schrie sie den Aufseher an – es schrie aus ihr heraus –, daß sie und ihr Kind stürben bei dieser Arbeit. Der Aufseher nahm ihr den Spaten aus der Hand und schlug sie tot. Sie und ihr Kind. – Sami Hirsch (er schrieb der Mutter einen Brief, auf englisch) hatte seine Eltern im allerletzten Augenblick, mit Gewalt beinah, in die Schweiz geschleppt.

Nach Basel, wo sie bei Freunden Unterschlupf fanden. Die Bilder und Möbel hatte er in Frankfurt gelassen, sie waren der Preis dafür gewesen, daß die Nazis ihn und seine Eltern ziehen ließen. Diese starben fast sofort, und beinah gleichzeitig. Er begrub sie, schlug sich – er war mittellos und hatte keine gültigen Papiere – nach Marseille durch und landete, via Lissabon, in New York. Dort wiederholte er alle seine Examina auf englisch und war nun Rechtsberater bei Sotheby's. »I never will speak German again«, schrieb er in dem Brief. »Sometimes, Clara, I dream of our swimming in the lake, in happier days. Sincerely yours, Sami.« – Auch Ditta und Béla Bartók hatten sich nach Amerika retten können, nach New York auch sie. Vom ersten Tag an war Bartók stockunglücklich und krank. Er lag im Spital, gab ein Konzert, landete wieder im Spital. Als er wieder einmal im Doctor's Hospital war, stand plötzlich ein Mann an seinem Bett, den er nicht kannte. Er stellte sich vor, »Serge Kussewizki«, und war kein Geringerer als der Chefdirigent des Boston Symphony Orchestra – gehört von ihm hatte Bartók natürlich – und sagte, seine Frau sei gestorben, ja, und er habe sie geliebt wie niemanden sonst auf dieser Erde, und er wünsche sich von Bartók ein Musikstück zu ihrem Gedenken. Ein Requiem. Hier sei der Scheck. Bartók, schwach und müde, schüttelte den Kopf, und Kussewizki zog enttäuscht ab. Aber dann saß er einen Sommer lang in einem Blockhauszimmer am Saranac Lake und schrieb das Konzert für Orchester. Anders als Mozart hörte er sogar die Uraufführung seines Requiems noch – Kussewizki dirigierte das Boston Symphony –, die der Beginn eines Bartók-Booms in den USA wurde und aus ihm die *number one* unter den zeitgenössischen Komponisten machte, *including Richard Strauss and Sergei Prokofjew.* Er fuhr nach New York zurück, in seine Zweizimmer- wohnung, und starb. – Auch der große Onkel hatte den Krieg nicht überlebt. Überall das Bellen der Faschisten, und sein Sohn, der am lautesten bellte. – Boris war jetzt der Herr über I Leoni. (Die beiden kleinen Onkel hingen am Grappafaß, und die Tante huschte schwarz durch die Kor- ridore.) Boris war dick geworden und lächelte schief. Er fuhr jeden Tag, mit dem Jaguar seines Vaters, nach Alba, wo er im Salon eines brüchigen Palazzos aus dem 16. Jahr- hundert auf einem Renaissance-Stuhl saß und, zwischen Spinnweben und zerrissenen Vorhängen, an den Lippen einer nicht mehr ganz jungen Dame hing. Sie hatte stahl- blaue Augen, blond gefärbte Haare, ein Pferdegebiß und war Anastasia, die letzte Zarentochter. Jedenfalls glaubte Boris das, und es kann sein, daß auch die falsche Anastasia meinte, sie sei die richtige. Woher sonst ihr schrilles Lachen, ihre kaiserlichen Bewegungen, die göttliche Art, ihre Teetasse auf den Tisch zu stellen. Boris brachte ihr, nach und nach, sein ganzes Geld und mehr. Zusammen wollten sie wieder in den Besitz der Reichtümer der Zaren- familie gelangen. Anastasia hatte Boris das halbe Bern- steinzimmer als Belohnung versprochen. Das wog das Vermögen, das er im Ridikül seiner Angebeteten ver- schwinden sah, mehr als auf. I Leoni verluderte natürlich einigermaßen, jetzt, wo niemand mehr nach dem Rechten sah. Gräser und Büsche wuchsen wieder aus den Kirch- turmfenstern, auf der Terrasse wucherten Brennesseln, und auch der Wein schmeckte erneut so, wie er es getan hatte, als das Gut noch I Cani geheißen hatte und von den Göttern der Feinde beherrscht worden war. Der Neger hatte sie nicht ganz besiegen können, damals, und jetzt nahmen sie Rache. Boris ging auf Wolken. Er kannte die Tochter des Zaren, ihn, just ihn zog sie allen andern vor! Er würde reich sein, unermeßlich reich, reicher, als je einer gewesen war in der Provinz Piemont und noch viel weiter weg. – Edwin hatte den Krieg genutzt, sich um die Firma zu kümmern. Er hatte sich gleich nach dem Einmarsch Hitlers in Polen zum Präsidenten des Verwaltungsrats wählen lassen – schließlich gehörten ihm dreiundsiebzig Prozent des Aktienkapitals – und entpuppte sich als ein strategisch aktiver und begabter Unternehmer. Als erstes holte er einen hohen Militär in die operative Spitze, einen Brigadier, der dem Generalstab zugeteilt war – z. V., »zur Verfügung« – und sich hauptsächlich um die Geistige Landesverteidigung kümmerte. Er verstand etwas von Führung und öffnete der Maschinenfabrik manche Tür. Er war Edwin direkt unterstellt, so etwas wie seine rechte Hand oder sein ausführender Arm, bald ein bißchen sein Freund. Er saß jedenfalls, hie und da, nicht allzu oft, in Edwins Kaminzimmer, rauchte eine Havanna-Zigarre (wo kriegte Edwin, mitten im Krieg, Havanna-Zigarren her?) und trank einen Mouton Clos du Roi aus fernen Vorkriegsjahren, von dem Edwin so viele Flaschen hatte, daß sie für einen dreißigjährigen Krieg gereicht hätten. Jeden Morgen um sieben Uhr hatte der Brigadier Edwin seinen Rapport zu machen – Tagesumsätze, Auftragslage, Neudefinitionen längerfristiger Ziele, auch die Pannen – und erhielt seinen Tagesbefehl. Edwin saß dazu an seinem Schreibtisch, aufmerksam, ernst. Hinter ihm blinkte der See. Der Brigadier stand. (Uniform trug er nur, wenn er am gleichen Tag noch nach Bern mußte. Trotzdem mußte er sich beherrschen, nicht die Absätze gegeneinanderzuschlagen, wenn Edwin ihn mit einem Nicken entließ.) Der Krieg eröffnete der Produktion der Maschinenfabrik Märkte von Dimensionen, daß einem Schwächeren als Edwin schwindlig geworden wäre. Die eigene Armee, aber auch die Wehrmacht hatten einen ungeheuren Bedarf an Maschinen aller Art. Das Réduit verschlang Tonnen von Metall auf Nimmerwiedersehen, und für den Rußlandfeldzug konnte es gar nicht genug Fahrzeugböden oder Laufachsen geben. Edwin schwindelte es allerdings nicht im geringsten, er lebte auf, ging im Sturmschritt durch die Korridore und trat, ohne anzuklopfen, in die Büros. Wehe, wenn der Mitarbeiter gerade am Fenster stand und ins Weite träumte! – Er verbrachte angeregte Abende mit Bundesräten und dem General. Kein Mobilmachungsbefehl, der nicht mit ihm diskutiert worden wäre. Die Produktivität geriet sich jedesmal mit der Wehrfähigkeit in die Haare. »Ah, Edwin«, rief der General an einem denkwürdigen Abend im März 1943, als sie in einem Salon des Hotels Schweizerhof in Bern saßen und Cognac tranken. »Ah, Edwin. Si je vous écoutais, ma petite armée n'aurait plus de soldat du tout!« Beide lachten von Herzen, und auch Bundesrat Kobelt, der gerade vom Klo zurückkam und nur den Schluß des Scherzes des Generals gehört hatte, stimmte in das Gelächter ein. – Die Maschinenfabrik wuchs so rasend schnell, daß schon im zweiten Kriegsjahr alle Kapazitäten ausgelastet waren und Edwin die Produktion einer Vielzahl von Teilen in Mittel- und Kleinbetriebe bis hinauf ins Baselbiet und den Jura auslagern mußte. Diese hatten oft Mitarbeiter, die besser als die Arbeiter im Stammhaus arbeiteten; besonders im Jura galten Toleranzüberschreitungen von einem Zehntelmillimeter auch im Volksmund als Entlassungsgrund. Eher durch Zufall – beim ersten Mal passierte es einfach – merkte Edwin, daß so ein Betrieb sofort in die schrecklichsten Schwierigkeiten geriet, wenn er einen Großauftrag von heute auf morgen zurückzog. Dann konnte er ihn für ein Butterbrot kaufen. Beim ersten Mal waren es die Hänni Erben in Gelterkinden BL, ein Familienunternehmen, das vor dem Krieg Fensterrahmen aus Leichtmetall und Türklinken produziert und dann, als Zulieferer für die Maschinenfabrik, auf genormte Aluminiumelemente umgestellt hatte. Edwin kriegte, auch eher per Zufall, eine viel günstigere Offerte von der Stiner AG in Wangen BE und verlagerte den Auftrag dorthin. Mit Hännis Erben war es aus, und sie – zwei Brüder, ihre Frauen, fünf Kinder – waren am Ende sogar noch dankbar, daß Edwin sie nicht dem Elend ihres Konkurses überließ, sondern die Firma kaufte, wenn auch weit unter ihrem Wert. Edwin versuchte das System dann noch einige Male, und immer klappte es. So daß die ihrerseits um drei Hallen größer gewordene Maschinenfabrik bei Kriegsende von einem Ring hochproduktiver Satelliten umgeben war, von denen einige echte Spezialitäten herstellten. Minimalisierte Kugellager, Feingewinde an haardünnen Bolzen oder Stahlträger, die ein paar Gramm wogen und trotzdem einem Zug von nahezu einer Tonne standhielten. Die Maschinenfabrik wies per 31. 12. 1945 einen Umsatz aus, der fast zehnmal größer als der von 1939 war. Edwin, der schon vorher reich gewesen war, war nun sehr reich. (Seine Frau, an Geld nicht interessiert, solange welches da war, kaufte Bild um Bild, sagenhafte Cézannes und den *Homme à la pipe* von Alberto Giacometti.) Er feuerte den Brigadier mit allem Pomp und den größten Ehren und besorgte sich einen zivileren operativen Chef, einen Kadermann der Handelsbank. – Mit dem Orchester hatte er wenig arbeiten können. Zu viele Musiker im Militärdienst, zu viele Zuhörer ebenfalls. So gab es die ganze Kriegszeit über nur zwei Konzerte im Radio – konventionelle Programme, die sich auch vor Tschaikowskys Schwanensee-Walzer nicht fürchteten – und ein Konzert für die Armeeangehörigen in Zofingen, das noch volkstümlicher programmiert war und mit der Nationalhymne schloß, die von allen stehend angehört wurde. – Nach dem Krieg nahm Edwin die Konzerte des Jungen Orchesters sofort wieder auf. Alle Musiker waren wohlauf, das Kriegsleben an der Grenze war anstrengend, aber nicht tödlich gewesen. (Der Konzertmeister fehlte allerdings, und auch die Cellistin.) Der Ansturm des Publikums war schon vor dem ersten Konzert so groß – die Menschen hungerten nach Musik –, daß Edwin um Gastrecht in der Stadthalle nachsuchte. Die war der Hort der Philharmonie, und ihr Dirigent, der knochentrockene Musikbeamte, intrigierte denn auch nach all seinen Kräften gegen Edwin und sein Orchester. Er sprach von der Entweihung des traditionsreichen Orts – schon Weingartner und Furtwängler hatten hier dirigiert – durch die kakophonischen Musiken der Bergs und Schönbergs. Aber Edwin kriegte trotzdem den Saal, und zwar zu den haargenau gleichen Konditionen wie die Philharmonie. Sechs Donnerstage und sechs Freitage pro Saison. So fand das erste Konzert nach dem Krieg also in der Stadthalle statt, am 13. September 1945. Mozart, KV 201, das Doppelkonzert für Streichorchester, Klavier und Pauken von Bohuslav Martinů und die Petite symphonie concertante für Harfe, Cembalo, Klavier und zwei Streichorchester von Frank Martin. Die Mutter saß nun auf dem Balkon, in der Mitte der ersten Reihe, weit weg von Edwin. Zwischen ihm und ihr, tief unten, lag der Abgrund des Parketts. Köpfe, tausend Köpfe. Als Edwin aufs Podium kam, als die Zuhörer klatschten, als das Licht ausging und alle bewegungslos lauschten, hatte sie, wie früher, das Bedürfnis, laut zu schreien. Wie damals, als sie neben dem Vater gesessen hatte und alle, auch der Papa, wie Tote ausgesehen hatten. Jetzt fürchtete sie, selber zu den Toten zu gehören. Sie schrie aber nicht. Sie starrte nach unten und sah Edwin, wie er, sparsam wie eh und je, den Musikern ihre Einsätze gab. Der Mozart war herrlich, der Martinů laut, und beim Martin geriet sie so sehr ins Träumen, daß sie nichts hörte und nicht einmal sah, daß die Harfenistin jene junge Frau war, die Edwin auf dem Foto aus Paris umarmt hielt. Sie war älter geworden, auch sie. – Immerhin, die Pause genoß sie. »Guten Tag, Frau Doktor! Guten Abend, Herr Professor!« Alle waren sie wieder da, und manche grüßten zurück. Professor von den Steinen, ein Mediävist und Anthroposoph, hielt sogar inne und fragte, wie es denn so gehe. Die Mutter glühte vor Freude. – Der Applaus am Schluß des Konzerts war groß. Edwin nickte wie immer. Nach seiner vierten Rückkehr aufs Podium befahl er dem

Orchester mit einer knappen Handbewegung, sich zum Dank zu erheben. Alle fuhren hoch, standen, mit ihren Instrumenten in der Hand, vor ihren Stühlen. Erst da bemerkte die Mutter, daß auf dem Platz ihrer Freundin, der Cellistin, das ganze Konzert über ein junger Mann mit einem blassen Gesicht gesessen hatte; ihr Nachfolger.

DIE Art der Mutter war nun nicht mehr, wie ein Holzscheit in einer Ecke zu stehen, wie einst als Kind. Fiebernd vor Erregung, mit geballten Fäusten, nach innen verdrehten Augen, an Könige und Mörder denkend, deren Opfer und Beherrscherin sie war. Sie hüpfte nicht mehr in ihren lichten innern Landschaften, während ihre auf der Erde zurückgelassene Körperhülle unförmig in der Zimmerecke stand. Nein. Ihre Art war nun geworden, genauso wie die andern Menschen zu sein. Normal. Ja, sie war – weil sie untrüglich zwischen einer Regel und ihrer Ausnahme zu unterscheiden wußte – normaler als die Normalen. Sie leistete sich nie, wie diese, eine kleine Abkürzung, eine Pause, ein Atemholen, sondern ging stets und immer den vom Gesetz vorgeschriebenen Weg. Sie war genauer als die Genauen und pünktlicher als die Pünktlichen. (Sie selber sah das nicht so, sie war, in ihren eigenen Augen, nie perfekt genug. Keine Haut, weder eine fremde noch gar ihre eigene, konnte so rein sein, daß sie nicht doch eine Verunreinigung enthielt.) Wenn sie die Betten machte, waren diese für den Rest der Ewigkeit gemacht. Wenn sie – »Guten Tag, Herr Professor! Guten Abend, Frau Doktor!« – jemanden grüßte, war ihr Lächeln *noch* ein bißchen wärmer als das der Zurückgrüßenden, ihr Kopf *noch* eine Spur geneigter. (In ihren Träumen war sie anders. Sie träumte – oder träumte das ihr Kind? –, ihr Kind äße sein eigenes Herz, weil es sich vor der Nahrung der Mutter fürchtete. Es sei wahnsinnig geworden, das Kind, die Mutter habe ein wahnsinniges Kind, sogar die Polizei wisse es schon, die Nachbarn, alle. Sie träumte, ihr Kind träumte, sie habe ein bluttriefendes Maul.) Sie redete nun viel, immer eigentlich, und laut. Sie stand immer zu nahe. So daß ein jeder – Mann oder Frau, Kind, sogar der Hund – sogleich einen Schritt nach hinten tat. Natürlich folgte sie auf der Stelle. Sie begann ein Gespräch unter der Tür und beendete es am Gartentor noch lange nicht. – Wer mit ihr sprach, gab irgendwann einmal auf, matt, erschöpft. Stimmte allem zu, was sie sagte, auch dem Merkwürdigsten. Sie saugte ihre Opfer leer, ließ ihre Hülle zurück. Das war ihr Sieg. – Wenn sie allein war, flüsterte sie immer noch vor sich hin. Unablässig strich sie durchs Haus, als trüge sie eine unsichtbare Rüstung, deren Scharniere diese seltsamen Geräusche verursachten. Sie gab sich wie früher wilden Disputen hin, diskutierte mit einem oder einer Unsichtbaren, einer kräftigen Stimme mit machtvollen Argumenten. Schuld, oh, da war so viel Schuld! Sie gab nicht auf, die Stimme auch nicht. »Ich kann nicht mehr!«, das schluchzte sie, wenn die Stimme zu sehr die Oberhand gewann. Zu gräßliche Strafen verhängte. Zu böse züchtigte. – Auch die Todesarten murmelte sie mehr denn je vor sich hin, als seien sie ein Gebet. Hängen, Springen, Ertränken: kein Tod, den sie nicht auf ihrer Liste hatte. Und natürlich vermeinte sie weiterhin, das Kind mitnehmen zu müssen. Das tat keine gute Mutter, ihr Kind allein zurücklassen. – Auch vor den Nächten fürchtete sie sich nach wie vor. Sie lag mit offenen Augen im Dunkeln und wartete auf ihren Mörder. – Die Tränen konnten einem kommen, wenn man sie ansah, wie sie dastand, ein Stück Nagelfluh, das Granit sein wollte. Einen Hammer glaubte man nehmen zu müssen, diesen Magnetberg zu zerschlagen. In tausend Stücke, und dahin, wo der Mund sich wohl immer noch bewegte, noch ein paar Schläge zusätzlich. Ja, das sagte sie oft: »Mich muß man totschlagen.« Sie lachte und hatte panische Augen. »Von allein sterbe ich nie.« In der Tat hatte sie nie eine Grippe oder einen wehen Zahn. Sie kannte keinen Schmerz. Sie spürte keine Hitze, keine Kälte. Ihre Art war nun geworden, immer gesund zu sein.

DIE Tage krochen, die Jahre flogen vorüber. Die Bäume um das Haus wucherten so heftig, daß dieses vom Gartentor aus kaum mehr zu sehen war. Eine Katze kam ins Haus, fing ihre Mäuse, starb. Die Mutter pflegte den Garten, in dem nun immer weniger Gemüse, immer mehr Blumen wuchsen. Zierkirschen, ein Tulpenbaum. Auch wieder Flieder. Jetzt half ihr ein Mann, Herr Jenny, ein Zollbeamter, der in seiner Freizeit ein Dutzend Gärten der Stadt betreute und seine Arbeit im Laufschritt erledigte. Blumen gießen, Laub rechen, sein Vesperbrot essen. Wahrscheinlich schlug er sogar sein Wasser im Laufen ab, und sicher redete er auch dann noch. Das Reden, aber auch das schnelle Laufen verband ihn mit der Mutter. Sie rannte hinter ihm drein – es sah aus, als hetze sie ihn vor sich her –

und sprach in seinen Rücken hinein, während er ihr, gleichzeitig und laut wie die Fanfaren des Jüngsten Gerichts redend, über die Schultern hinweg antwortete. Herr Kern hieß er, nicht Herr Jenny. Sie kamen gut miteinander aus, Herr Kern und die Mutter. Eines Tages, in einem glühenden August, lief Herr Kern mit zwei leeren Gießkannen in den Händen und der Mutter im Rücken zum Wasserfaß hin. Er wandte sich jäh um, sah, rückwärts weiterlaufend, die Mutter aus großen, runden entsetzten Augen an und stürzte zu Boden. Tot. – Der Hund starb auch, Jimmy, und später auch der nächste, Wally. Auch ihr Mann war plötzlich tot, vor einem Alter eigentlich, in dem Männer sterben. Sie begrub ihn, nicht im Familiengrab. Ihr Vater hätte das nicht gewollt. Viele Trauernde kamen zum Begräbnis, sehr viele; sie kannte die meisten nicht. – Nach I Leoni wollte die Mutter nicht mehr, ohne den großen Onkel. Sie überzeugte Boris, ihr das Steinhaufenhaus für die Sommerwochen zur Nutzung zu überlassen, und räumte alles Gerümpel weg. All die verstaubten leeren Flaschen, die zerbrochenen Harasse, die Wagenräder und Schlittenkufen. Sie putzte und fegte, bis das Haus, eine Höhle eher, glänzte wie in des Negers Tagen. Sie beließ alles wie zu seinen Zeiten, den Zeiten des Säumers, den Zeiten des jungen Vaters, kochte im Licht einer Kerze und ließ tagsüber die Tür offen, um wenigstens ein bißchen etwas sehen zu können. Sie sammelte Holz im Wald und hackte es auf einem Spaltstock, der hinter dem Haus stand. Sie pumpte Wasser. Sie schlief auf einer schmalen Matratze, die auf einem Lattenrost lag. Oft, fast jeden Tag eigentlich, bestieg sie einen Berg, der vor ihr in die Höhe ragte, einen namenlosen Piz, den die Einheimischen *Il Cattivo* nannten, den Bösen; er hatte aber nie jemandem ein Leid angetan, drohte nur unter schweren Wolken und zeigte, durch einen Zufall der Gesteinsschichten, ein ewiges, schiefes Grinsen unter listigen Augen. Als wisse er von einer Katastrophe, die gleich jetzt oder morgen oder in tausend Jahren eintreten würde. Die Mutter bestieg den Cattivo so oft, daß sich zwischen der Tür und dem Gipfel ein Fußweg bildete, eine Rinne. – Sie war jetzt jeden Sommer im Steinhaufenhaus, reiste nie mehr woandershin. – Später dann wurde sie auch aus dieser Heimat vertrieben, als nämlich Boris Konkurs machte und I Leoni an seinen schärfsten Konkurrenten abtreten mußte. (Anastasia war längst verschwunden, mitsamt all dem Geld, das er in sie und ins Bernsteinzimmer investiert hatte, und der schärfste Konkurrent hatte die Jahre seiner Unachtsamkeit genutzt und seine Sekretärin verführt, so daß sie schließlich, mitsamt allen Geschäftsunterlagen, für immer in seinem Bett blieb.) Boris versuchte sich dann eine Weile lang als Trüffelzüchter, aber seine Schweine fanden nichts oder fraßen die kostbaren Knollen auf, bevor er sie an der Leine zurückreißen konnte. Dann betrieb er zwei Saisons lang ein Schwimmbad in Nervi. Er war der Geschäftsführer oder eher eine Art Bademeister, der auch Eis und Limonade verkaufte. Schließlich verlegte er sich, ein letztes Aufbäumen, auf den Immobilienhandel. Da trug er nochmals dicke Banknotenbündel mit sich herum – nicht sein Geld – und pries deutschen Investoren Häuser an, die schon während des Verkaufsgesprächs einzustürzen drohten. Einmal kam er vor Gericht, mußte – es ging um Geldwäscherei – als Zeuge aussagen, hatte einen roten Kopf, schwitzte Bäche, verstrickte sich in tausend Widersprüche und kam dennoch ungeschoren davon. Da beschloß er, sich nach Villa di Domodossola zurückzuziehen, ins Steinhaufenhaus, weil er kein anderes Haus mehr hatte. Er hatte nichts mehr, nur noch seinen Jaguar, der, vor dem Steinhaus angekommen, auch den Geist aufgab. Die Benzinpumpe war kaputtgegangen, und Boris hatte kein Geld, eine neue aus England kommen zu lassen. Er und die Mutter im gleichen Haus, das wäre – für die paar Sommerwochen – ja vielleicht gegangen. Aber Boris hatte die Tante und die beiden kleinen Onkel bei sich, die sich sogleich, jeder in einer andern Hausecke, häuslich einrichteten. Die Mutter kam, ahnungslos, mit Sack und Pack im Steinhaufenhaus an, als die Onkel sich just zur ersten Ankommensfeier um die gemeinsame Grappaflasche scharten. Die Tante starrte wie ein Vogel. Boris, krumm lächelnd, bedauerte, sie nicht zum Bahnhof zurückfahren zu können: aber eben, die Benzinpumpe. Die beiden Onkel standen aneinandergelehnt und grinsten. Die Mutter nahm ihr Köfferchen und ging. Die Etiketten waren so blaß geworden, daß sie die einzige war, die sie noch lesen konnte. »Suvretta«: wie eine Ahnung. »Danieli«, ein Hauch aus ganz anderen Zeiten. – Sie blieb jetzt im Haus am Stadtrand, auch in den Sommern. Es stand längst nicht mehr am Rand der Stadt, war eingeschlossen von neuen Häusern. Wo die Getreidefelder gewesen waren, gab es nun Gärten mit hohen Hecken und kleine Zufahrtsstraßen mit Wendeplätzen an ihrem Ende. – Drei, vier Male konnte sie nicht mehr und ging in eine psychiatrische Klinik, die sie selber nie so nannte. Sie sagte Sanatorium. Jedes Mal war es ein anderes.

Universitätsklinik, Münchenbuchsee, Heiligholz, Sonnenberg. Sie wurde mit Medikamenten behandelt, die sie still werden ließen. Wortlos. Mit nicht ganz sicheren Schritten ging sie die Korridore entlang und über die Kieswege. Sie schwebte eher, sie ging nicht eigentlich, und ihre Augen schwammen an den Blicken derer vorbei, die sie besuchten. Elektroschocks kriegte sie keine mehr. Und noch immer konnte sie nicht weinen, nie, nicht eine einzige Träne. – Sie ging in jedes Konzert des Jungen Orchesters. Sie sah nun mehr und mehr wie eine Königin im Exil aus, *Queen mother*, eine weiß gepuderte Dame mit einem strengen Charme. Sie genoß die Konzerte, sie war bei all den unvergeßlichen Höhepunkten dabei. Arthur Honeggers Jeanne au bûcher! Der Idomeneo, mit dem wunderbaren Ernst Haefliger! Schönbergs Pierrot lunaire! All die Neuen, Wolfgang Fortner zum Beispiel, der sich mächtig und deutsch verneigte! Stockhausen! Kelterborn! Wildberger! Und Bartók, immer wieder Bartók. Ah, sie waren schön, die Konzerte des Jungen Orchesters. – Dann kam der Geburtstag, an dem Edwin keine Orchidee mehr schickte. Kein Kärtchen, auf dem mit violetter Tinte »Alles Gute, E.« stand. Die Mutter stand am Fenster und starrte zum Gartentor hinüber. Dieser Tag, dieser Geburtstag, war schrecklich, ganz entsetzlich, der schlimmste seit Jahren und für Jahre. – Noch später begann sie seltsame Dinge zu machen. Sie setzte sich, eine alte Dame nun, für eine Rast auf die Gleise der Vorortsbahn. Der Lokomotivführer – die Strecke war übersichtlich – brachte seinen Zug zum Stehen und half der Mutter die Böschung hinauf. Sie freute sich über seine Hilfe und lachte. Sie stand jetzt auch wieder am

See, zuweilen, ging ein paar Schritte hinein; nie mehr so weit wie einst. Sie überquerte Straßen, wann und wo sie wollte, ohne nach rechts und links zu schauen. Auch das Quietschen und Hupen der Autos, das Zerschellen von Metall und das Klirren von Glas brachten sie nicht aus der Fassung. Als sie eine regelrechte Greisin geworden war, begann sie Reisen zu machen – je gefährlicher, desto schöner – und fuhr zum Beispiel in einem Bus quer durch den Osten der Türkei. Einmal mußten sich alle Passagiere hinter einen Erdwall ducken, weil Türken auf Kurden schossen, oder umgekehrt; über ihren Bus hinweg jedenfalls. Die Mutter kauerte neben einem jungen, kreidebleichen Mann und zwinkerte ihm zu. Sie war auch in New York und brach jeden Tag in Schuhen, die wie Entenfüße aussahen, und einer regensicheren Jacke auf, um die Bronx oder Brooklyn oder die Subway zu erforschen. Sie hatte, weil man ihr das gesagt hatte, stets einen Zehndollarschein in der rechten Anoraktasche, falls sie überfallen werden sollte. Dann hätte sie – sie hatte den Satz sorgfältig geübt – »There you go, young man!« gesagt und ihm den Schein gegeben. Sie wurde aber nie überfallen. Einmal trank sie in Harlem in einer Bar einer Nebenstraße der Third Avenue einen Tee, an der Theke stehend. Es war ein Lokal für Schwule, für schwarze Schwule, und meine Mutter wurde mit viel Heiterkeit bedient. Ihr Englisch klang so, wie ihr Lehrer sich einst das Englisch in Oxford vorgestellt hatte. »There you go, young man«, sagte sie, als sie bezahlte.

AM 17. Februar 1987 machte die Mutter das Bett in dem Heim für alte Menschen, in dem sie jetzt wohnte, stellte die Silberschälchen und Kerzenständer gerade und schrieb auf ein Stück Papier: »Ich kann nicht mehr. Lebt weiter und lacht. Clara.« Ihre Schrift, jetzt, glich dem Flattern weher Vögel. Die Mutter öffnete das Fenster – sie wohnte im sechsten Stock – und sah noch einmal zum sonnenleuchtenden anderen Ufer. »Edwin«, sagte sie. Dann sprang sie. Nun schrie sie, glaube ich. »Edwin.« In ihr drin das Tosen all dessen, was sie in zweiundachtzig Jahren erlitten hatte, oder das Brüllen der Anfänge. Der rasende Luftzug trieb ihr Tränen in die Augen. »Edwin!« Sie schlug auf dem Dach des Autos des Hausmeisters auf, einem Fiat 127. Sie trug nur einen Schuh, der andere – einer jener Entenschuhe – hatte sich im Fensterrahmen verhakt und war, als sie wegstürzte, eingeklemmt geblieben. – Es gab eine Trauerfeier, in einer Halle des Städtischen Friedhofs. Ein paar Freundinnen, ihr Kind. Ich. Kein Pfarrer. Sie, die immer alles wie alle machen wollte, wollte mit Pfarrern nichts zu tun haben. So sprach niemand ein Wort. Der erste Erste Bratschist des Jungen Orchesters – er war längst nicht mehr dabei, war, auch er, ein Greis geworden – spielte mit zittrigen Fingern ein Stück von Bach. Kein Kranz von Edwin. Keine Karte, keine violette Tinte. Der Sarg rollte plötzlich, ohne eine Warnung oder einen Trompetenstoß, durch eine jäh sich öffnende Luke ins Feuer hinein, in das alle, Entsetzen im Herzen, hineinstarrten. Die Luke schloß sich wieder. Die paar Trauernden erhoben sich, schauten links, schauten rechts, ob sie jemanden kannten, und gingen dann nach Hause, irgendwie. – Die Urne mit der Asche der Mutter wurde ein paar Tage später ins Familiengrab auf den städtischen Schanzen oben gebracht. Links von ihr steht die Urne ihres Vaters, der Platz zu ihrer Rechten ist immer noch leer. – Der Hausmeister, dessen Fiat zerbeult worden war, stritt sich dann fast ein Jahr lang mit der Versicherung der toten Mutter herum. Er war der Ansicht, die Schadenssumme, die ihm ausbezahlt worden war, sei zu gering.

Die Geschichte ist erzählt. Diese Geschichte einer Leidenschaft, einer sturen Leidenschaft. Dieses Requiem. Diese Verneigung vor einem schwer zu lebenden Leben. Vielleicht noch dies: Kürzlich, vor kaum einer Woche, ging ich ins Museum für Völkerkunde, um Werns Sammlung anzuschauen. Ich schlenderte durch die Säle, staunte wilde Dämonenmasken an und bewunderte die Rekonstruktion einer Hütte eines Vornehmen, der wohl Wern selber gewesen war. Zwar war die Hängematte nicht aus Gold, es gab überhaupt keine Hängematte, aber in einer Holzschale lagen zwei handgedrehte, gewiß längst ausgetrocknete Zigarren, die sehr denen von Wern glichen. Ein Tisch, zwei Hocker, Bastmatten. Schmuck, wahrscheinlich der der Prinzessin. Auch Eßgeschirre aus Holz und Holzlöffel. Tontöpfe mit schönen Verzierungen. – Ich war allein in dem Museum. Stille, völlige Stille; ein mattes Licht aus hohen Fenstern. Erst als ich in den Saal mit dem Männerhaus kam – einer großen Anlage, die eine ganze Saalseite füllte –, sah ich einen weiteren Besucher, einen alten Mann, der einen Ksatyra anstaunte, einen überlebensgroßen schwarzen Stier aus so etwas wie Pappmaché, der für die Begräbnisse von Großen verwendet wurde. Eine Art magischer Sarg. Der Mann war so klein unter dem Riesenstier, daß es aussah, als wolle das heilige Monster ihn verschlingen. Beide standen reglos, Dämon und Mann. Ein Zwiegespräch? Ein Gebet? Ein Kräftemessen? Plötzlich erkannte ich den Mann. Edwin. Edwin war alt geworden, uralt; aber alles andere als gebrechlich. Er hüpfte geradezu, als er sich aus dem Bannkreis des Ungetüms löste und zu einer Holzfratze hinüberging, die weniger gefährlich aussah. Ich wanderte von Objekt zu Objekt, bis ich neben Edwin stand. Er besah sich inzwischen einen Einbaum, der die Schnauze eines Krokodils hatte und in dem zwei Ruder und drei Wasserflaschen aus Kürbissen lagen. Noch nie hatte ich Edwin von so nahem gesehen. Er hatte nicht nur die Nase eines Raubvogels, nein, auch seine Augen spähten scharf und aufmerksam. Natürlich hatte er mich längst bemerkt und sah mich jetzt, mit einem schnellen Blick, von der Seite her an. Sein Hals war voller Falten, um die ein makellos weißes Halstuch geschlungen war.

»Ich bin der Sohn von Clara«, sagte ich.

»Von wem?« Er sah weiterhin das als Schiff verkleidete Krokodil an.

»Von Clara« – ich nannte ihren Namen von damals – »Molinari.«

Er wandte sich mir zu. »Clara Molinari?« sagte er. »Der Name ist mir im Augenblick nicht geläufig. Ich treffe so viele Menschen.«

»Ich bitte Sie!« rief ich, jäh erregt. »Clara war das erste

Ehrenmitglied Ihres Orchesters! Das werden Sie doch wohl noch wissen!«

Edwin schlug eine Hand gegen seine Stirn und rief: »Aber natürlich! Die gute alte Clara. Wie geht's ihr denn so?«

»Sie ist tot.«

»Ja.« Er nickte. »Das sind wir alle jetzt immer häufiger.«

Er wies mit einer großen, den ganzen Saal umfassenden Bewegung auf Männerhaus, Stier und Krokodileinbaum. »Hochinteressante Kultur. Sehr komplexes, äußerst effizientes Verwandtschaftsgeflecht. Patrilinear, aber mit einer starken Dominanz der Frauen.« Er faßte nach seinem Halstuch und rückte es zurecht.

»Wieso haben Sie Clara keine Orchideen mehr geschickt?« sagte ich.

»Orchideen?«

»Ja. Mit einem Kärtchen. Violette Tinte. *Alles Gute, E.* Ich sehe sie noch vor mir, Ihre Schrift, wie heute.«

»Diese Dinge laufen bei mir über das Sekretariat.« Edwin hob bedauernd die Schultern. »Wahrscheinlich hat eine neue Sekretärin die Agenda ausgemistet.«

Ich nickte. Ja. Das war eine plausible Erklärung. Ich schwieg. Auch Edwin schien von dem Gespräch genug zu haben, denn er eilte quer durch den Saal zu einer Vitrine voller dämonischer Schweine- und Hundeköpfe.

»Noch etwas«, rief ich, als er drüben angekommen war. »Warum haben Sie Clara gezwungen, ihr Kind abzutreiben? *Ihr* Kind?«

»Wer hat Ihnen denn das erzählt?« Zwischen ihm und mir lagen jetzt zwanzig oder auch dreißig Meter Parkett, und seine Stimme dröhnte. »Ich zwinge keine Frauen zu nichts.

Nie. Ich habe vier Kinder. Und ich bin den Müttern gegenüber immer großzügig gewesen. Äußerst großzügig.«

Ich ging zu ihm hin, schnell, mit Schritten, die wie Gewehrschüsse knallten. Ich wollte ihn, kann sein, ohrfeigen oder zwischen die Beine treten oder wenigstens anschreien. »Ich habe alle Ihre Konzerte gehört«, sagte ich statt dessen, als ich bei ihm angelangt war. »All die Bartóks, oder den Idomeneo von damals. Liebermann! Hartmann! Zimmermann! Wunderbar.« Allenfalls meine Stimme – sie war so laut und fast so hoch wie die meiner Mutter – verriet, daß meine rechte Hand, mein rechter Fuß immer noch zuckten und zitterten. – Nun lächelte er. Atmete ein, atmete aus. Ja, er strahlte regelrecht. »Übermorgen«, sagte er, »habe ich ein Konzert. Ligeti, Bartók, Beck. Kommen Sie, kommen Sie doch!« Er gab mir einen freundschaftlichen Klaps auf die Wange, wandte sich ab und ging mit schnellen, sicheren Schritten zum Ausgang hin. Verschwand im Schwarz der Tür, und ich wollte mich eben den Schweine- und Hundemasken zuwenden, als er nochmals auftauchte, mit einem vor Vergnügen roten Gesicht. »Wenn Ihre Geschichte stimmen würde…«, rief er kichernd. »Da wären Sie ja *mein* Sohn!« Er hob beide Arme und ließ sie wieder fallen. »Pech gehabt, junger Mann.«

Er verschwand so schnell, daß er nicht sah, wie ich mit einem Zeigefinger gegen die Stirn tippte. »Sie meinen wohl, ohne Sie geht gar nichts?!« brüllte ich. Dann stand ich einfach nur so da und horchte seinen verhallenden Schritten nach. Seinem immer leiseren Gelächter. Eine Tür schlug zu, und es war wieder still. All die Dämonen schwiegen wie seit Jahrhunderten schon. Nur der Stier im Männerhaus, der Ksatyra, schien jetzt zu lachen, so lautlos, so dröhnend, daß auch ich das Museum verließ.

HEUTE ist der Geliebte meiner Mutter zu Grabe getragen worden. Ich hatte mich verspätet – hatte noch, unsinnigerweise, meine Hemden gewaschen – und kam erst vor dem Großmünster an, als die Feier bereits begonnen hatte. Der ganze Platz war voller Trauernder, die in der Kathedrale keinen Einlaß mehr gefunden hatten. Tausende, der Platz war schwarz bis zu den Zunfthäusern an seinem andern Ende. Ich schaffte es dennoch, ins Kircheninnere zu gelangen, drängelnd, mit Hilfe meiner Ellbogen. Neben einem schweren, romanischen Pfeiler blieb ich stecken und mußte mich auf die Zehenspitzen stellen, um überhaupt etwas zu sehen. Im Kirchenschiff saßen, so bewegungslos, als seien *sie* die Toten, Damen mit schwarzen Hüten und Gesichtsschleiern und Herren, von denen manche einen Zylinder auf den Knien hielten. Vorne, weit vorn waren die Würdenträger, viele in Uniform. Ein paar Bundesräte vermutlich, die Spitzen der Wirtschaft und der Kultur. Von so weit hinten konnte ich sie nicht genau sehen. Natürlich besetzten die Bodmer, die Lermitier und die Montmollin die erste Reihe. Ich erkannte, ihrer weißen Haare wegen, die Doyenne der Montmollin, eine hundertjährige Dame, von der der Volksmund sagte, daß sogar Klapperschlangen vor ihr Reißaus nähmen. Als ich mich bis zum Taufbecken durchgeboxt hatte, sprach gerade der Bundespräsident. Ihn sah ich gut. Er gab zu erkennen, daß sein Leben ohne die Musik des zwanzigsten Jahrhunderts ärmer gewesen wäre. Das Junge Orchester, älter geworden, spielte die Maurische Trauermusik von Mozart und etwas Bachartiges, das ich nicht kannte. Den Dirigenten konnte ich allerdings nicht sehen. Die Kanzel verdeckte ihn gerade so, daß ich nur seinen rechten Arm sah, den mit dem Dirigierstab, und auch den nur, wenn er das Orchester zu einer sehr heftigen Bewegung anfeuern wollte. Er war wohl, wenn er nicht Pierre Boulez war, Heinz Holliger oder eventuell Wolfgang Rihm. Irgendein Nahestehender der jüngern Generation. – Nach dem letzten Musikstück, einem gläsern-modernen Schmerzensschrei aller Bläser eines zweifellos zeitgenössischen Komponisten – vielleicht des Dirigierenden –, brach ein wilder Applaus aus, ein Fauxpas, der alle so überrumpelte, daß sie, weiterklatschend, auch noch aufstanden und dem Toten eine Standing ovation brachten. Ich stand zwar längst, aber, ich weiß nicht, warum, ich klatschte ebenfalls. Ich schlug mir die Hände wund. Das Klatschen wollte und wollte nicht aufhören – obwohl sich der Sarg, unter Blumen begraben, nicht verbeugte – und mußte schließlich vom Großmünsterpfarrer, einem älteren, gütig lächelnden Mann, mit einem beruhigenden Winken beendet werden. Alle Trauernden hatten rote Köpfe, strahlende Augen, wie nach einem besonders großartigen Konzert. – Als ich aus dem Münster trat, regnete es in Strömen. Ein Meer aus schwarzen Regenschirmen. Die ganze Stadt wollte den Verstorbenen zum Friedhof begleiten, ich weiß nicht, zu welchem. Ich ging nach Hause, noch bevor der Leichenwagen, ein schwarzer Mercedes mit weißen Gardinen, sich in Bewegung setzte. Die Glocken der Kathedrale dröhnten, auch die aller andern Kirchen der

Stadt. – Später saß ich noch ein paar Stunden lang vor dem Fernseher und sah mir die Sondersendung zum Ableben Edwins an. Die Stationen seines Lebens, seine Leiden und Triumphe. »Eine Jahrhundertfigur.« Ich sah Edwin mit Bartók, Edwin mit Strawinsky, Edwin mit der jungen Queen of England, und einmal, in einem Schwenk über das Publikum der Stadthalle, in der Mitte des Balkons, fern, sekundenschnell, einen Schatten, der meine Mutter sein mochte.

Urs Widmer
im Diogenes Verlag

Vom Fenster meines Hauses aus
Prosa

»Elf Geschichten, siebzehn Bildnisse von Dichtern, acht
Schweizer Dialoge sowie zwanzig Berufe vom ›Meister
im Knüpfen bunter Erzählteppiche‹.«
Die Zeit, Hamburg

»An seinen besten Stellen ist Widmer phantastisch und
realistisch in einem.« *Neue Zürcher Zeitung*

Schweizer Geschichten

Der Erzähler schwebt mit einer dicken Frau und einem Piloten im Ballon über das Land der Eidgenossen
und landet da und dort in verschiedenen Kantonen. Er
erzählt vom schweizerischen Familienleben, von den
Gasthäusern, von Originalen und Streckenwärtern,
Skitouristen und Liebespaaren.

»Aberwitziges Panorama eidgenössischer Perversio-
nen, und eine sehr poetische Liebeserklärung an eine –
allerdings utopische – Schweiz.« *Zitty, Berlin*

Shakespeare's Geschichten
Alle Stücke von William Shakespeare. Mit vielen Bildern
von Kenny Meadows. Band I nacherzählt von Walter E. Richartz
Band II nacherzählt von Urs Widmer

Das ganze Shakespeare-Universum nacherzählt: die ge-
waltige Masse von Geschichte, Geschichten, Weishei-
ten, Schlauheit, Poesie, Zoten und Zärtlichkeiten.

»Wer fürchtet, daß das wieder nur die heute übliche Li-
teratur-Literatur ist, wird angenehm überrascht. Her-
ausgekommen ist eine saftige Prosa, die Shakespeares
Phantasie ins Gegenwärtige überträgt.«
Abendzeitung, München

Das enge Land
Roman

Hier ist von einem Land die Rede, das so schmal ist, daß, wer quer zu ihm geht, es leicht übersehen könnte. Weiter geht es um die großen Anstrengungen der kleinen Menschen, ein zärtliches Leben zu führen, unter einen Himmel geduckt, über den Raketen zischen könnten…

»Ein oder zwei Personen unternehmen eine Reise von Frankfurt in die Idylle der Schweizer Natur- und Bergwelt. Es passiert dabei wenig, aber doch wieder sehr viel, und zwar Überraschendes und scheinbar ganz Unlogisches.« *Stephan Reinhardt / Frankfurter Hefte*

Liebesnacht
Erzählung

Im Elsaß sitzen die Freunde beisammen. Über die Felder kommt der Ewige Egon zu ihnen gewandert und setzt sich dazu. Alle trinken und erzählen sich wahnsinnig schöne Liebesgeschichten aus ihrem Leben.

»Ein unaufdringliches Plädoyer für Gefühle in einer Welt geregelter Partnerschaften, die ihren Gefühlsanalphabetismus hinter Barrikaden von Alltagsslang verstecken. In seiner leisen Melancholie ein optimistisches Buch für den, der an die hier so wirkkräftige Macht der Poesie glaubt.« *Barbara von Becker / Norddeutscher Rundfunk, Hannover*

Die gestohlene Schöpfung
Ein Märchen

Die gestohlene Schöpfung, selbst eine Schöpfung, ist modernes Märchen, Actionstory und ›realistische‹ Geschichte zugleich; und eine Geschichte schließlich, die glücklich endet.

»Widmers bisher bestes Buch.« *Armin Ayren / FAZ*

Indianersommer
Erzählung

Die Helden des *Indianersommers* sind fünf Maler bzw. Malerinnen und ein Schriftsteller. Sie wohnen in einer jener Städte, die wir alle kennen: »Nie hatte einer eine Ahnung, welche Jahreszeit herrschte; und die Reisebüros, das Farbigste jener Welt, sprachen im Sommer vom Winter und umgekehrt. Jeden Tag wurde in den Zeitungen das Szenario des Endes beschworen. Lassen wir das. Wir wußten jedenfalls alle nicht mehr, sollten wir unseren Kindern das Abc verheimlichen oder besonders genau beibringen. Wir wußten überhaupt nichts mehr.« Und dann machen sich alle sechs, einer nach dem andern, zu den Ewigen Jagdgründen der Indianer auf.

Der Kongreß der Paläolepidopterologen
Roman

»Ein poetisches Meisterstück. Das Finale der drastisch zarten Liebesgeschichte, das außer Widmer nur Handke und Hitchcock gemeinsam hätten erfinden können, gehört in der neueren Literatur zum Besten.«
Die Zeit, Hamburg

»Die mit überschwappender Phantasie und sich überschlagenden Einfällen erzählte Geschichte Gustav Schlumpfs, eines Instruktionsoffiziers der Schweizer Armee. Man kann sich bei der Lektüre dieses Romans ausgiebig amüsieren über die grotesken erotischen Abenteuer, die dem Helden widerfahren.«
Die Weltwoche, Zürich

Das Paradies des Vergessens
Erzählung

»Ein Schriftsteller schreibt über das Schreiben und nimmt den gesamten Literaturbetrieb auf die Schaufel.

Endlich jemand, dem es gelingt, seine Nöte ohne Larmoyanz niederzuschreiben. Dabei ist das Buch ein kleines Meisterwerk sprachlicher Mimikry, weil Widmer in vielen Sprachen spricht. Der Text quillt über vor Geschichten, die geradezu en passant erzählt werden – ein Buch, das dem wunderbaren Reich der Phantasie entspringt und dabei äußerst formbewußt die verschiedenen Erzähleben miteinander verschränkt.«
Anton Thuswaldner / Salzburger Nachrichten

Der blaue Siphon
Erzählung

»Wer kann heute noch glitzernde, glücksüberstrahlte Idyllen erzählen? Wer eine Geschichte über den Golfkrieg und die A-Bombe? Wer ein Märchen für Erwachsene? Und wer eine Liebesgeschichte über Lebende und Tote, die uns traurigfroh ans Herz geht? Die Antwort: Urs Widmer. Er kann all dies aufs Mal auf den siebenundneunzig Seiten seiner Erzählung *Der blaue Siphon*, die mir für zweieinhalb Stunden das Gefühl wiedergeschenkt hat, mit dem ich mich als Kind staunend in meinen liebsten Geschichten verlor, und die ich ohne Zögern ein Meisterwerk nennen würde. Und all das ist, eine Rarität in der deutschen Literatur, tiefsinnig und extrem unterhaltend zugleich.«
Andreas Isenschmid / Die Zeit, Hamburg

Liebesbrief für Mary
Erzählung

Die Geschichte dreier Liebender, auf ungewöhnliche Art, aus mehrerlei Sicht erzählt: das erste englische und das kurzweiligste Liebesgeständnis in der deutschen Literatur.

»Eleganter, lakonischer wurde in der jüngsten Literatur die Sprachlosigkeit der Liebe wohl nie in Sprache verwandelt.« *Peter Laudenbach / die tageszeitung, Berlin*

Die sechste Puppe im Bauch
der fünften Puppe im Bauch der vierten
und andere Überlegungen zur Literatur
Grazer Poetikvorlesungen

Wie liest man als Autor andere Autoren? Wie richtet man sich in der Welt ein? Urs Widmers Buch ist ein anrührender Erfahrungsbericht, in dem er sich als Schriftsteller in der heutigen Zeit definiert. Fernab von jeder begriffsverliebten Philologie entsteht ein lebendiger Eindruck von demjenigen, der Literatur macht und liest: Urs Widmer erzählt in seinen 1991 gehaltenen Vorlesungen in bildreicher Sprache von Schriftstellern als Erinnerungselefanten, von ihrer Kassandra-Rolle, vom Schreiben als Widerstand gegen Unglück und Tod, dem Einfluß der eigenen Biographie, vom Jammer mit den Frauen, von befreiendem Humor.

»Eines der schönsten Bücher, das in den letzten Jahren über Literatur, schreibende Menschen und ihre Leser geschrieben worden ist, ein lebenskluges, warmherziges Buch.« *Michael Bauer / Neue Zürcher Zeitung*

Im Kongo
Roman

Der Altenpfleger Kuno erhält einen neuen Gast: seinen Vater. In der Abgeschiedenheit des Altersheims kommen sie endlich zum Erzählen. Kuno glaubte immer, sein Vater sei ein Langweiler, ohne Schicksal und ohne Geschichte – bis er mit einemmal merkt, daß dieser im Zweiten Weltkrieg einst Kopf und Kragen riskiert hat. Sein greiser Vater hat ein Schicksal, und was für eins! Diese Erkenntnis verändert Kunos Leben. Eine Reise in die eigenen Abgründe beginnt, in deren Verlauf es ihn bis in den tiefsten Kongo verschlägt. Sehnsüchte werden wach und Träume wahr: Jene lockende Ferne, die einst als Herz der Finsternis

galt, wird zum abenteuerlichen Schauplatz von Wahn-
witz, Wildheit und innerer Bewährung.

»Was die Erzählplanung, die Vernetzung der Motive,
die Spiegelungen und Echos, die strategische Anlage
der Geheimnisse und ihrer Auflösung betrifft, stößt
Widmer in diesem Roman zu einer neuen Meister-
schaft vor.« *Peter von Matt / Die Zeit, Hamburg*

Vor uns die Sintflut
Geschichten

Urs Widmer, Komödiant, Poet, Satiriker, warnende
Kassandra, zieht in diesen einundzwanzig Geschichten alle Register. Neben heiteren Kaprizen, metaphy-
sischen Märchen, Zeitreisen in die Zukunft finden sich
Geschichten, die auf die traumatischen Tragödien des
20. Jahrhunderts anspielen.

»Bei allem Spott, bei allem Gelächter, bei aller Trauer,
bei allem Wahnsinn: in jeder Zeile spürt man, daß Widmer ein Humanist ist, ein Liebender.«
René Freund / Wiener Zeitung

Der Geliebte der Mutter
Roman

Als sie ihn kennenlernt, in den zwanziger Jahren in
der Stadt am See, ist sie jung und schön und reich, er
dagegen ein mittelloser, junger Mann, der nur eines im
Kopf hat: Musik. Am Ende ihres Lebens ist er ein
berühmter Dirigent und der reichste Mann des Landes und sie ohne Geld und immer noch und immer
mehr von einer Liebe zu ihm umgetrieben, von der
weder er noch sonst jemand etwas weiß.
Der Geliebte der Mutter ist die Geschichte einer
stummen, besessenen Leidenschaft, aufgezeichnet von
ihrem Sohn. Es ist der Bericht einer Lebenstragödie,
aus einer Distanz erzählt, in der sich der Schmerz
schon fast wieder in Heiterkeit verwandelt hat.

Urs Widmer liest seinen Roman
Der Geliebte der Mutter

erschienen bei
Deutsche Grammophon Literatur
4 CD 469 926-2   ISBN 3-8291-1062-6
4 MC 469 926-4   ISBN 3-8291-1063-4

Das Geld, die Arbeit, die Angst, das Glück.

Kolumnen – kurze Texte, die mit unserem Common sense sprechen – und Essays, die uns etwas mehr Raum und Zeit geben, um über ihren Gegenstand nachzudenken, von großer Vielfalt und Intensität.

»Urs Widmer ist wie immer gescheit, analytisch und am Puls der Zeit. Die Texte sind so geistvoll und ironisch, daß sie das Lesen und Denken zum lustvollen Unterfangen werden lassen.«
Roger Anderegg / SonntagsZeitung, Zürich

Das Buch des Vaters

Roman

An seinem zwölften Geburtstag erhält Karl ein Buch, voll leerer Seiten, und Tag für Tag wird er daran schreiben, ein Leben lang. Doch nach seinem Tod verschwindet es, bevor es sein Sohn, wie es der Brauch ist, hätte lesen können. Also schreibt es der Sohn, der Ich-Erzähler, ein zweites Mal: das Buch des Vaters. Es ist die Aufzeichnung eines leidenschaftlichen Lebens, von der Liebe zur Literatur bestimmt. Von den großen Utopien, Hoffnungen und Enttäuschungen des 20. Jahrhunderts. Und von der Liebe zu Clara Molinari, die im Zentrum des Romans *Der Geliebte der Mutter* steht. Die gleiche Geschichte, verblüffend anders erzählt.

Martin Suter
im Diogenes Verlag

Small World
Roman

Erst sind es Kleinigkeiten: Konrad Lang, Mitte Sechzig, stellt aus Versehen seine Brieftasche in den Kühlschrank. Bald vergißt er den Namen der Frau, die er heiraten will. Je mehr Neugedächtnis ihm die Krankheit – Alzheimer – raubt, desto stärker kommen früheste Erinnerungen auf. Und das beunruhigt eine millionenschwere alte Dame, mit der Konrad seit seiner Kindheit auf die ungewöhnlichste Art verbunden ist.

»Genau recherchiert, sprachlich präzis und raffiniert erzählt. Dramatisch geschickt verflicht Martin Suter eine Krankengeschichte mit einer Kriminalstory. Ein literarisch weit über die Schweiz hinausweisender Roman.«
Michael Bauer / Süddeutsche Zeitung, München

»Fesselnd. Eine der großen Qualitäten von Martin Suters Roman liegt in der Präzision, mit der er die Krankheit und Umgebung beschreibt, und in der Gelassenheit, mit der er die Geschichte langsam vorantreibt.«
Le Monde, Paris

Martin Suter wurde für seinen Roman *Small World* mit dem französischen Literaturpreis ›Prix du premier roman étranger‹ ausgezeichnet.

Die dunkle Seite des Mondes
Roman

Starwirtschaftsanwalt Urs Blank, fünfundvierzig, Fachmann für Fusionsverhandlungen, hat seine Gefühle im Griff. Doch dann gerät sein Leben aus den Fugen. Ein Trip mit halluzinogenen Pilzen führt zu einer gefährlichen Persönlichkeitsveränderung, aus der ihn niemand zurückzuholen vermag. Blank flieht in den Wald. Bis er endlich begreift: Es gibt nur einen Weg, um sich aus diesem Alptraum zu befreien.

»Das Buch ist spannend wie ein Thriller und trifft wie ein Psycho-Roman – eine ungewöhnliche Variante von *Dr. Jekyll und Mr. Hyde*.«
Karin Weber-Duve / Brigitte, Hamburg

Business Class
Geschichten aus der Welt des Managements

Business Class spielt auf dem glatten Parkett der Chefetagen, im Dschungel des mittleren Managements, in der Welt der ausgebrannten niederen Chargen, beschreibt Riten und Eitelkeiten, Intrigen und Ängste einer streßgeplagten Zunft.

»Höchst amüsant. Martin Suter kennt sich unter jenen Männern aus, die alle mit hehren Absichten und gepanzerten Ellbogen ins Dickicht der ›Business Class‹ drängen. Wie kleine ethnologische Erkundungen lesen sich seine Kolumnen.«
Martin Zingg / Neue Zürcher Zeitung

»Woche für Woche ein Hieb in die nadelgestreifte Seite der Männerwelt.«
Jürg Ramspeck / Die Weltwoche, Zürich

Richtig leben mit Geri Weibel
Geschichten

Es gibt Leute, die werden das Gefühl nicht los, daß sie bei jedem neuen Trend hinterherhinken. Andere dagegen wissen erst gar nicht, was sie lifestylemäßig bisher alles falsch gemacht haben. Beides sind optimale Kandidaten für *Richtig leben mit Geri Weibel*. Denn Geri hat sich – nachdem er in so ziemlich alle Fettnäpfchen getreten ist – zu einer Art Trendseismograph in Fragen des derzeitigen Lifestyle herangebildet.

»Suters Betrachtungen erschöpfen sich nicht nur in glänzender Satire. Er ist ein Alltags-Soziologe ersten Ranges. Manche seiner Geschichten erinnern an die besten Szenen von Loriot: präzise, sprachlich brillant und getragen von einem leisen, aber unnachgiebigen Humor.« *Joachim Scholl /*
Financial Times Deutschland, Hamburg

Richtig leben mit Geri Weibel
Neue Folge. Geschichten

Geri ist mittlerweile verkappter Bewohner eines Loft im Industriequartier und gerade dabei, sich mit seinem deklassierten Status als »Agglo« zu arrangieren, als auch die Clique das Industriequartier für sich entdeckt. Um ein Haar und mit etwas mehr Selbstbewußtsein hätte Geri dieses Trendsetting für sich verbuchen können, allein, die Zeit ist noch nicht reif für unseren Antihelden, der sich erst allmählich vom Zeitgeist zu emanzipieren beginnt. Hingegen kommt Geri in den Genuß einer prickelnden Mainacht mit der allseits begehrten Aira, einer Nacht, die eine Kette von ungeahnten Komplikationen mit sich bringt.

»Suters scharf geschliffene, brillant funkelnde Miniaturen amüsieren köstlich, zumal der Autor seine boshaft exakten Beobachtungen nicht mit Moralin übersäuert, sondern als spritzige Cocktails kredenzt.« *Peter Meier / Blick, Zürich*

Ein perfekter Freund
Roman

Durch eine rätselhafte Kopfverletzung hat der Journalist Fabio Rossi eine Amnesie von fünfzig Tagen. Als er seine Vergangenheit zu rekonstruieren beginnt, stößt er dabei auf ein Bild von sich, das ihn zutiefst befremdet. Er scheint merkwürdige Dinge getan, ein seltsames Verhalten an den Tag gelegt zu haben in jener Zeit. Aber offenbar gibt es Leute, denen es lieber wäre, jener Fabio bliebe ausgelöscht.

»Martin Suter schafft es, die Balance zwischen Psychothriller und Kriminalroman zu halten – auf erfreulich hohem literarischen Niveau.« *Der Spiegel, Hamburg*

Business Class
Neue Geschichten aus der
Welt des Managements

Die Welt teilt sich in die, die überholen, und die, die überholt werden. Wer möchte da nicht auf der richtigen Spur sein. Was es dabei zu beachten gilt, erfährt man in großer Spannbreite in den neuen Geschichten über eine streßgeplagte Zunft.

»Suters satirischer Karriere-Leitfaden sollte in jedem Büro ausliegen – zur Warnung! Bei diesen hundsgemeinen Milieustudien genießt der Leser seine Rolle als Vorstandsetagen-Voyeur und freut sich an den punktgenauen Dialogen, in denen jeder Satz sitzt wie ein gut plazierter Dartpfeil.«
Karin Weber-Duve / Brigitte, Hamburg

Beziehungsstress
Geschichten aus der Business Class

Stress! Nicht nur beruflich, auch privat.

»Martin Suter hebt hervor, was die zahllosen Ratgeber für den Weg in die Chefetagen meist unterschlagen: daß nämlich just dann alles schiefgehen kann, wenn sich jemand peinlich genau den gängigen Regeln und Codes unterwirft. Suters Spott klingt milde und ist frei von der giftigen Satirikerverachtung für den Durchschnittsmenschen. Doch um so schärfer fallen seine Einsichten aus.«
Erhard Falcke / Norddeutscher Rundfunk, Hamburg

Lila, Lila

Roman

David liebt Marie. Aber Marie interessiert sich nicht groß für den Kellner, der da unbeholfen um sie herumschleicht. Dann macht David einen Fund. In der Schublade eines alten Nachttischs entdeckt er das Manuskript eines Romans. Es muß aus den fünfziger Jahren stammen und handelt von einer Liebe, so tief und rein, wie sie im zynischen postmodernen 21. Jahrhundert kaum mehr erfunden werden kann. Marie, die David für den Autor hält, ist hingerissen und bietet das Manuskript ohne sein Wissen einem Verlag an. *Lila, Lila* wird zu einem Bestseller – und Marie Davids Geliebte. Wie gern hätte er ihr die Wahrheit gestanden, aber: »Ihre Liebe war auf einem kleinen Betrug aufgebaut. Wenn man ihn beseitigte, nahm man ihr das Fundament.« Und dies will David um keinen Preis. Der Schneeball seiner kleinen Lüge wird groß und größer, bis er verheerende Ausmaße annimmt.

»Ich halte Martin Suter im Moment für einen der besten deutschsprachigen Autoren.«
Wolfgang Herles / ZDF aspekte

Bernhard Schlink
im Diogenes Verlag

»Schwungvoll geschriebene, raffiniert gebaute Romane, in denen die politische Aktualität und die deutsche Vergangenheit präsent sind.«
Dorothee Nolte /Der Tagesspiegel, Berlin

»Bernhard Schlink gehört zu den Autoren, die sinnlich, intelligent und spannend erzählen können – eine Seltenheit in Deutschland.«
Dietmar Kanthak /General-Anzeiger, Bonn

»Bernhard Schlink gelingt das in der deutschen Literatur seltene Kunststück, so behutsam wie möglich, vor allem ohne moralische Bevormundung des Lesers, zu verfahren und dennoch durch die suggestive Präzision seiner Sprache ein Höchstmaß an Anschaulichkeit zu erreichen.« *Werner Fuld /Focus, München*

»Bernhard Schlink ist ein sehr intensiver Beobachter menschlicher Handlungen, seelischer Prozesse. Man liest. Und versteht.«
Wolfgang Kroener/Rhein-Zeitung, Koblenz

Der Vorleser
Roman

Liebesfluchten
Geschichten

Die gordische Schleife
Roman

Selbs Betrug
Roman

Selbs Mord
Roman

Bernhard Schlink & Walter Popp
Selbs Justiz
Roman